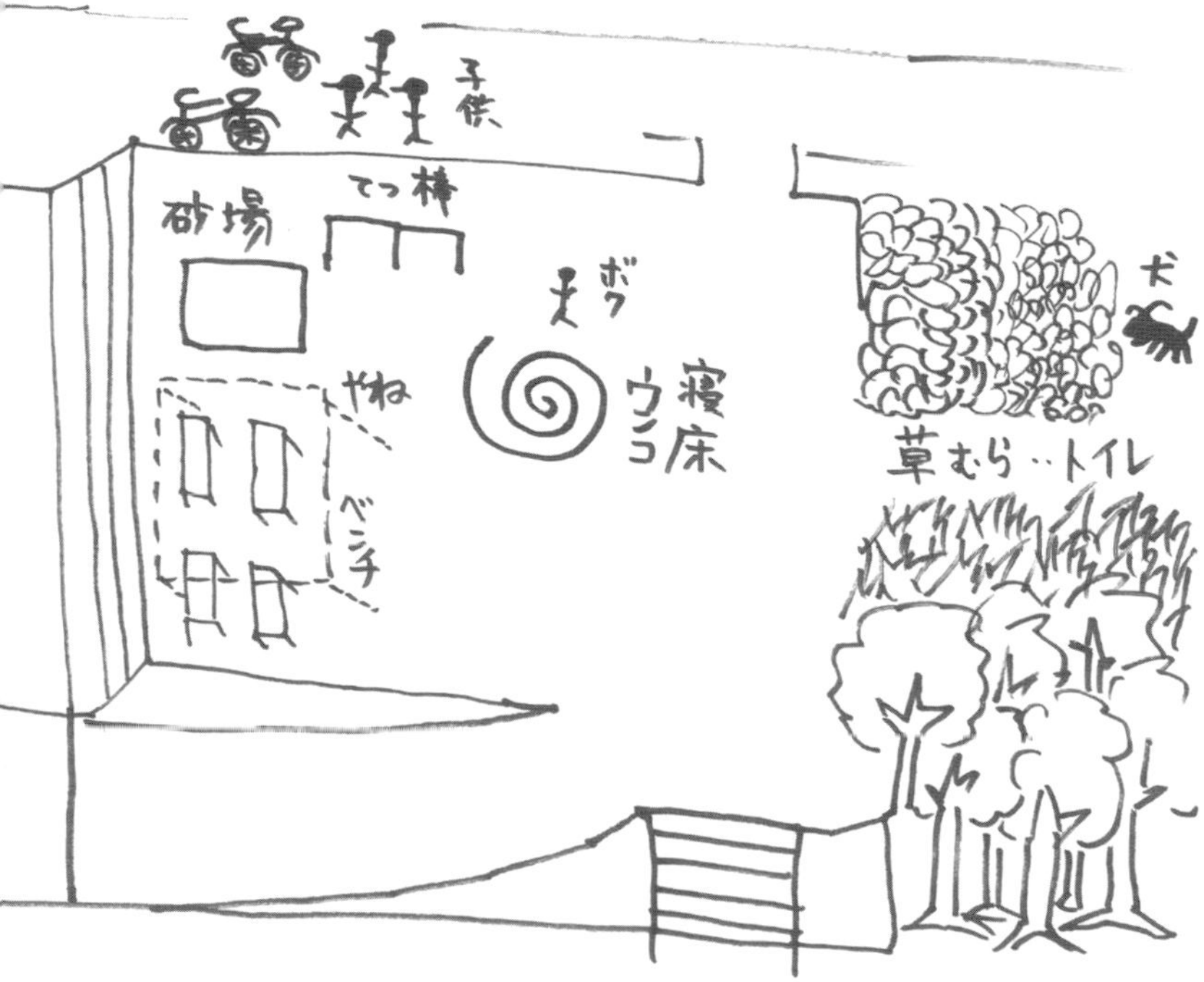

公園

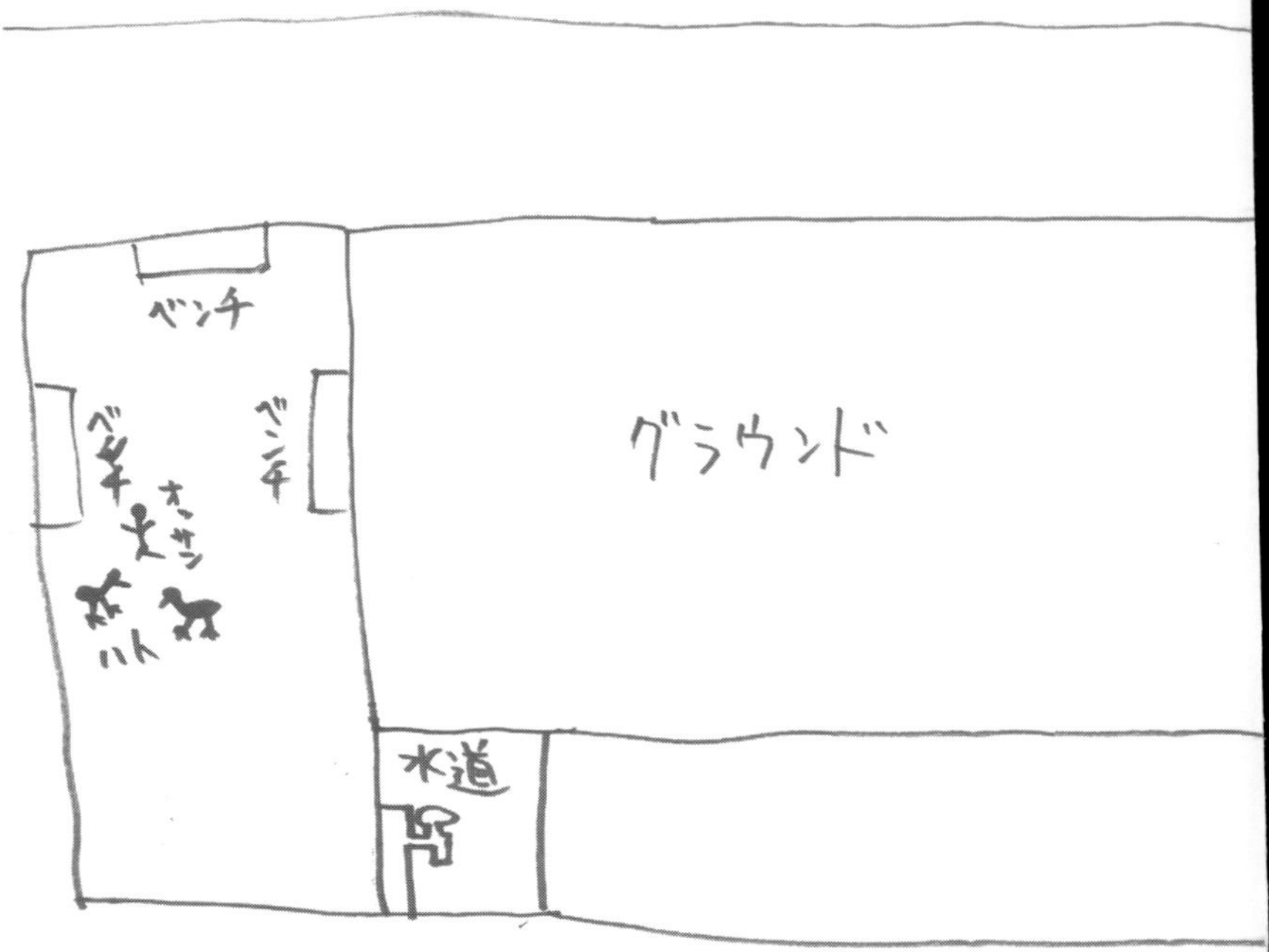

まきふん

ホームレス中学生

田村裕

ハト

衝撃の解散劇

家が無くなった。

それは、僕の想像を超えた出来事だった。13歳の僕には理解しきれなかった。

中学二年の一学期の終業式の日。

朝、いつものように起きるとお父さんはもうどこかに出掛けていて、5歳上の大学一年のお兄ちゃんは入学してようやく慣れてきたであろう大学に行く準備を、4歳上のお姉ちゃんは大学受験を控えた高校に行く準備をしていた。

いつも通りの朝。

僕は僕で中学校に行く準備をして出掛けた。7月末のその日は朝から暑く、歩いて学校に行くだけでも結構な汗をかいた。学校に到着して同級生と顔を合わせ、夏休みの予定などを呑気に話した。バスケットボール部に所属していたので、部活の練習予定の合間をぬってキャンプに行こうと友達とプランを立てたりもした。そんなに遠くに行くわけではなかったのだが、中学生の僕にとってそれは大冒険を意味し、胸を躍らせ、心をときめかせた。

やがて終業式のため全校生徒が体育館に集まり、有難みを無くした校長の話が終わり、無事に式

を済ませ、帰路に着く。家の近い友達と帰りながら夏休みの予定を披露し合い、お互いのお土産を買う約束して別れた。

家に着くと、朝出掛けたときとは明らかに様子が違っていた。

そのときは普通のマンションの二階に住んでいたのだが、二階に上がる階段の前で僕を迎えてくれたのは家の中にいるはずの見覚えのある家具達だった。

そのルックスから、完全に自分の家にあった家具だということはすぐにわかったのだが、タンスの扉を無意味に開けたり閉めたりして感触を確かめ、見た目がそっくりなだけで奇跡的に我が家の家具でないことを願った。が、長年使い親しんだ家具の感触は無情にもすぐに手に馴染んだし、引き出しの中には僕の体操服なんかがしっかりと入っていた。

そんな言葉があるのかわからないけど、たじろぎまくりだった。たじろぎにたじろいだ。そんな状態だった。

二階に上がる勇気が出ずに、野晒《のざら》しにされた家具達をただぼーっと眺めていると、お姉ちゃんが学校から帰ってきた。

状況というか状態を説明し、二人で二階に上がった。二階に上がると、ドアは開きっ放しになっていたが、「差し押さえ」と書かれた異常に存在感のある黄色いテープがクロス状に張られていて、もう家には入れなくなっていた。

どうやら田村家のお引越しは完了しているらしい。住み慣れた家の最後の顔すら見られなかった。

ふと横を見ると、お姉ちゃんは泣いていた。

僕は泣くほどにも状況を理解できていなかった。

しばらくするとお兄ちゃんが帰ってきた。

お兄ちゃんは状況を見て「お父さんの帰りを待とう」と言った。しっかり者のお兄ちゃんが帰ってきたことで、お姉ちゃんの涙も止まり、僕も妙な安心感に包まれていた。実際はお兄ちゃんも現状を把握しきれず不安だったに違いないが、焦る様子も見せずに落ち着き払っていた。

もしこのとき、お兄ちゃんが取り乱していたら、お姉ちゃんも僕も収拾がつかないくらいに泣きじゃくっただろう。長男というのも大変である。

三人でお兄ちゃんの指示通りにお父さんの帰りを待った。


待ち人きたる。

お父さんが帰宅（?）というか、とりあえず帰ってきた。笑っているわけでもなく、怒っているわけでもなく、かといって真顔でもない複雑な表情を浮かべていた。

お父さんは僕達三人を二階へと連れて行き、クロス状に張られたテープの前に並べて、まるでバスガイドの名所案内のように手のひらをテープに向けて、こう言った。

「ご覧の通り、まことに残念ではございますが、家のほうには入れなくなりました。厳しいとは思いますが、これからは各々頑張って生きてください。…………**解散!!**」

か・い・さ・ん？　あの遠足のときに使われる解散？　ということは、家に帰ればいいのか？　たった今その家に入れないと言われたとこなのに？　全く理解ができなかった。

お父さんはそれを告げると足早にどこかに去っていってしまったので、残された兄弟三人でこれからどうするかを話し合った。お兄ちゃんとお姉ちゃんは、とりあえず三人で行動してなんとかする方法を考えていこうと言った。

僕は依然として状況をほとんど飲み込めていないままだったが、このまま一緒にいるとお兄ちゃん、お姉ちゃんに迷惑が掛かることだけはわかった。

「俺は、一人で大丈夫。なんとかするわ」

怖くて不安で、「一人にしないで」と言いたくて仕方無かったが、必死で耐えた。中学生でも働こうと思えば働けたとは思うけど、当時の僕にはその発想が全く無かった。一人になることだけが、なんの生産性の無いただの浪費者の僕にできる、唯一の兄姉孝行だと考えた。

お兄ちゃんとお姉ちゃんは何回も、「そんなことできない」、「一人でどうするんだ」、「一緒にきたほうがいい」と言ってくれた。年の離れた弟を放っておけないという兄姉の愛情が凄《すご》く伝わってきた。二人とも責任感が強かったので、説得するにはかなりの時間がかかった。

しかし、二人が強く言ってくれればくれるほど、僕の意思も固くなった。

そのとき二人がどんな顔をしていたか全く覚えていない。僕は二人の顔を見てしまうと心が折れそうで、顔を上げられずにずっと俯《うつむ》いていた。

どれだけ言っても二人が納得してくれなかったので、僕は「いつでも泊めてくれる友達がおるから大丈夫」と嘘をついた。それでも「迷惑掛かるし、何かあったらあかんから一緒にこい」と言われた。

しかし、どれだけ言っても僕が折れなかったので、やがて二人も諦めてくれた。「一緒にこい」と言っても二人にも何の当ても無く、諦めるしかなかったのだろう。

あんな状況では二人ともかなり混乱していたと思う。二人の性格を考えると、どこかで冷静さを欠いていなければ、僕が一人になることを許しはしなかっただろうから。

そんな話をしているうちに、荷物を引き取りに業者がきた。お父さんが家具などの保管場所に、どこかの倉庫を借りていたらしい。三人それぞれ、必要最低限の荷物をかばんに詰めて、後は業者に持っていってもらった。

倉庫に荷物を保管しておくということは、またこの家具と家族で一緒に暮らせる日がくるのだという安心感と未来への希望を僕達に残してくれた。

結局、倉庫のお金を払えるわけも無く、すぐに処分されることになるのだが……。

お兄ちゃんとお姉ちゃんは行動を共にすることが決まり、お兄ちゃんは当時コンビニでバイトしていて、深夜だったら居ることが多いからなんかあったらすぐにそこにこいと言ってくれた。

僕は、「わかった」と言って二人と別れた。

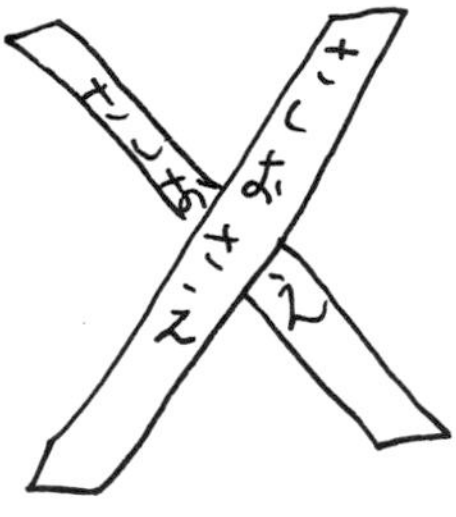

公園生活がスタート

とりあえず家があった場所から離れ、どうするか考えた。

昔からあまり人見知りをしない性格で友達もわりと多かったから、いざとなったら友達の所にでも泊めてもらおうと思ったが、実際に友達に会ってみると何て言えばいいのかわからなかった。

「家が無くなったから泊めてほしい」と言っても、何で家が無くなったのかを聞かれたら説明できないし、単純に恥ずかしいとも思ったし、馬鹿にされる気もした。

思春期の僕には難しかった。

当てもなく、しばらく歩いた。

そこから何の記憶も無い。ただ何も考えていなかったのか、自分でも知らない間に記憶から抹消してしまったのか、アホで覚えていないだけなのかわからないけど、気が付くと子供のときによく遊んだ、見覚えのある公園の前に立っていた。

「**まきふん公園**」だ。

この公園、何故「まきふん公園」かというと、いろんな遊具が設置してあるのだが、鉄棒と砂場と座るだけの動物の形をしたコンクリの塊と普通の滑り台の他にもうひとつ、一風変わった滑り台があった。この一風変わった滑り台に由来する。

市としては、巻貝をモチーフに中をくり抜いて、遊べるようにした滑り台を作りたかったのだと思うが、剥《は》げた茶色という見た目も助けて、まきまきウンコにしか見えなかった。それで「まきふん公園」という、いかにも子供が喜びそうな愛称が付いた。

もし興味がある人は、大阪の吹田市の山田西という所にある、小さいほうのイズミヤ（今はデイリーカナート）の横の公園まで見に行ってほしい。残念なことに、今は色が塗り替えられて水色になっており、当時とは少しイメージが変わってしまっているのだが、それでもその形はなかなかの存在感を放ち、悠然とそこに立っている。


まきふん公園に流れ着いた僕は、疲れていたのでとりあえずベンチに腰を下ろした。今後、どうしていくか考えようとしたのだが、その日のあまりの出来事に相当疲れていたらしく、ベンチに座った瞬間に緊張の糸が切れたのか、急激に眠たくなった。

今思えばなんら気が緩む状況ではないのに、座ったというだけで眠たくなるなんて相当なアホだと思うが、なんせ眠たくなってしまった。眠くなった以上は寝ようと寝床を探す。

なんの迷いもなく、僕はウンコの中に入った。

ウンコの滑り台の中は、なだらかなコースと、最初はなだらかだが最後に設計ミスかと思うぐらい急勾配《きゅうこうばい》になるふたつのコースに分かれていた。

前者のコースは最初から最後まで、ダラダラと下っていくのだが、後者のコースは設計ミスの急勾配の手前でこれまた設計ミスくさい、ほぼ平らな箇所があった。その平らな所は横のへりが結構高くなっているので、余程の横から打ち付ける雨が降らない限り、濡れる心配も無さそうだったのでそこに寝転んだ。

昼間あんなに暑かったのに、夏の夜のウンコは予想以上にひんやりとしていて寝転がるととても気持ち良く、家の無くなった僕を歓迎してくれているようだった。

その日は本当に24時間だったのか、１００時間以上はあったんじゃないかと思うぐらいに、いろんなことが起きた長い一日だった。

そして、その一日の出来事は、友達と行くはずだった一泊二日の大冒険なんかより本当の大冒険の始まりだった。

公園生活、初日の朝。

あまりの暑さに目が覚めた。中学生の僕は腕時計なんかは持っておらず、持ってきていた目覚まし時計で時間を確認すると、もう10時だった。

目覚まし時計に外の景色は本当に似合っておらず、家の中で見るよりもやたらと大きく見えた。

僅かながら持っていたおこずかいの残りを持ってすぐ近くのスーパーに行き、パンと牛乳を買っ

て食べた。

僕が幼稚園ぐらいの頃から、そのスーパーでお母さんが働いていたことを思い出す。それまではずっと専業主婦で、いつでも家に帰ると必ずお母さんが出迎えてくれていた。

昔から異常なまでに、良く言えばお母さんっ子、悪く言えばマザコンだった僕は、幼稚園から帰ってきても家にお母さんが居ないことに耐えきれず、お母さんの働くスーパーまでよく迎えに行っていた。

家からスーパーまでの道は、単調な一本道な上に大した距離でもなかったけれど、一人ではまだ歩いたことのない距離だったので、凄く怖くて不安だった。

だけど、それ以上にお母さんが居ないことの不安のほうが大きくて、勇気を振り絞った。

まだ小さかった僕は、お母さんが働きだした理由なんか知らなくて、僕からお母さんを奪ったスーパーが憎くて、中で働いている人から、買い物している人から、スーパー自体まで全てを睨み付けてやった。

初めて迎えに行った日、レジで一生懸命働くお母さんを発見して「迎えにきた」と話し掛けたら、一人できたことにとてもびっくりしていた。終わるまでにまだ時間があるから中で待っていなさいと、更衣室みたいな所に連れて行かれた。

中に入ると仕事を終えた一人のおばちゃんが居て、お母さんの仕事が終わるまで相手をしてくれたが、僕はお母さんを奪われたと思い込んでいる上に、おばちゃんは口が物凄く臭かったので、この他睨《にら》んでやった。何を話し掛けられても無視してやった。

厚意のみで接してくれているおばちゃんからしたら、僕の態度は憎たらしくて仕方無かったと思うが、怒ることもなく最後までそばに居てくれた。なかなかいい奴だ。

お母さんが働きだしてそれほど日は経っていなかったけど、職場でちゃんとコミュニケーションを取っていて、そのおばちゃんはお母さんのことをきっと良く思ってくれていたのだろう。だから、態度の悪い僕に怒ることもなく、優しく接してくれたのだと思う。そのときは気付かなかったけど、今思えばお母さんの人柄がうかがえる出来事だった。

そして仕事が終わったお母さんと、晩ご飯の買い物をして一緒に帰った。

お母さんが、お兄ちゃんやお姉ちゃんには内緒で僕の大好きなベビーシューを買ってくれた。帰り道、そのベビーシューを食べながらお母さんと手を繋《つな》いで歩いた。

あんなに寂しく不安だった行きの道と同じ道とは思えないぐらいに、安心感に満ちた楽しい帰り道だった。

お母さんの仕事が終わる時間を学習した僕は、それからお母さんが働く日は毎日、迎えに行くのが日課となった。学校から帰って家で仕事の終わる時間まで待って、時間がくるとスーパーに行く。

お母さんからしたら迷惑だったかもしれない。

でも毎日行った。

お母さんに少しでも早く会いたい一心で。


そんなことを思い出しながら同じ道を歩いた。

育ち盛りの僕は、あんなに長く遠く思えたその道を、5分やそこらで歩けるようになっていた。

そして戻ってきたばかりだというのにすでに空腹を感じ、もう一度スーパーに行って何か食べようか迷ったが、残り僅かなお金の節約を考えてやめた。

公園に戻ってはきたが、歩いたこともあって、あまりの暑さに耐え切れず場所を変えることにした。すぐ近くに図書館があったので、そこに行くことにした。

図書館はまさに天国だった。

エアコンはガンガンだし、冷水機で冷たい水は飲めるし、これで食べ物もあれば言うこと無しだったが、もちろん図書館のどこを探しても本ばかりで食べ物は無かった。

料理本など食べ物が載った本はあったが、それを見ても余計に腹が減るばかりで空腹は満たされなかった。

夕方ぐらいまで図書館で過ごした。

空腹に限界を感じ、またスーパーでご飯を買った。この時間になると、このスーパーでは惣菜なんかが「おつとめ品」として割引されることを、お母さんを迎えに行ったときの買い物で知っていた。確か、から揚げとおにぎりを二個買って、残りのお金が１０００円をきった。

ご飯を食べたがほとんど満腹感も無く、何かすることも無く、とりあえず町を徘徊した。誰かに会えば事情を説明して何とかしてもらおうとか考えながら、友達の家の前を通ったり、学校の前を通ったり、昔家族でよく行った『餃子の王将』という店の前を通ったり、たまり場になっていたコンビニの前を通ったり、いろんな所を通ってみた。何かを期待して歩いた。

とにかく助け舟を探した。しかしどこにも舟は無かった。すぐに沈みそうな泥の舟すら見当たらなかった。

僕の幸せ波止場は完全鎖国でした。それはとても残念なことです。が、それが現実でした。

努力は報われず、歩き回ったせいでお腹はペコペコになっていた。

コンビニで弁当とファンタを買って公園に戻り、いつもより遅めの晩飯を済ませた。弁当は食べきったが、明日のことを考え、ファンタは半分ぐらい残して寝床に就いた。

歩き回って疲れていたので、僕はすぐに眠りにおちた。

次の日もやっぱり暑くて目が覚めた。

もう昼前だったらしくウンコに直射日光が差していて、相当な汗をかいていた。

喉がカラカラだったので、ファンタを残しておいて正解だったなと思いながらファンタを勢いよく口に含んだが、残していたことは不正解だった。

枕元のファンタは直射日光に晒《さら》されていた。

太陽の恵みを受けたファンタは温かく、ホットの炭酸はお世辞にも美味しいとは思えなかった。

冷蔵庫の無い生活は初めてで、今まではファンタなんかは冷たいのが当たり前だったからびっくりした。そんなことになるんだったら、美味しい昨日のうちに飲んでおけば良かったと後悔した。

冷蔵庫の偉大さを知った瞬間だった。

その日は昨日と大差無い一日を過ごした。昨日と違うのは、昼ご飯を食べた時点でお金が底を突いてしまい、晩ご飯を食べずに寝たことぐらいだった。

空腹の果てに……

次の日は暑さではなく、空腹により目が覚めた。成長期の腹の虫は余程暴れたらしく、胃がヒリヒリと痛かった。お金が無いことにはどうにもならないので、お金を探し歩いた。

幸運にも、公園からすぐ近くの自動販売機の下で500円玉を見つけた。とても感動的な出会いだ。物凄い衝撃が頭からつま先まで走り抜けた。煌々《こうこう》と光り輝いて見えた。その眩しさに目をくらませつつ手を伸ばした。

すぐにスーパーに走り感動的な出会いとは裏腹に、共にした時間の短さに儚《はかな》さを感じつつも500円玉に別れを告げた。

これで腹の虫の機嫌を取ることができた。

その一食で500円を使い切ってしまったので、その日はそのままお金探しを続けた。

さっきの500円がすぐに見つかったので、結構簡単に小銭を拾い続けて生活できるのではないかと思ったが、その甘い考えはすぐに払拭《ふっしょく》された。

かなりの数の自動販売機の下を見て回った。

最初は恥ずかしかったけれど、どんなに奥の小銭も見逃してはならない、見つけなければまた胃がキリキリと痛むと思うとだんだん必死になり、次第に恥ずかしさは無くなった。その探す姿はも

はや見るでも覗き込むでもなく、潜るという表現が一番近かった。

細かった僕の上半身は丸々、自動販売機の下に入っていた。そこまでして1円と10円を数枚拾ったものの、ご飯にあり付けるほどの額には至らなかった。

夜になると辺りは暗くなり、自動販売機の表面は明るいけれど、潜ってみても奥は真っ暗でこれ以上のダイビングは困難となった。

しかし、それとは逆にお腹のほうは順調に減っていき、探すのを諦めた頃には限界に達していた。そのまま寝ようとしたけど、腹の虫は全くその気が無くて暴れまくっている。

どうにもならなくなった僕は、その日、居るかはわからないが、お兄ちゃんの働くコンビニに行ってみることにした。

公園からお兄ちゃんの働くコンビニまでは5分もかからない所にあったので、すぐに会いに行けたけど、一人でなんとかすると言った手前、中学生のしょうもないプライドが邪魔をして、すぐに店の中には入れなかった。

遠目から店の中を見ると、お兄ちゃんが居た。解散からまだ三日しか経っていないし、お兄ちゃんはある程度、生活力もあるから当たり前なのに、無事で良かったと安心した。

プライドと腹の虫が喧嘩をして、腹の虫が圧勝した。

店に入ると、あんなに一人で大丈夫と言っておいて三日しかもってないと馬鹿にされるかと思ったが、お兄ちゃんは予想に反して歓迎してくれた。

仕事が一段落つくと、弁当を買って食べさせてくれた。

店員さんであるお兄ちゃんがお金を払って店の物を買っている光景は、なかなか違和感があったことを覚えている。

どこでどうしているのか聞かれ、公園に居ると言ったら心配されるので「友達の家に居る」と嘘をついた。説得力があったみたいで、「ひろしは昔から友達多いもんな」と安心してくれた。

「その友達の親御さんに挨拶行かなあかんな」とも言ってくれたけど、「自分でちゃんと言ってるから大丈夫」と返した。お兄ちゃんは「それでも行く」と言ってくれた。

本当にこられるとウンコしか居なくて困るので、いずれ連れてくると適当に返した。

弁当を食べたことで、「その家でご飯を食べさせてもらってないのか？」と聞かれたけど、「お兄ちゃんと食べてくるから遠慮した」と言っておいた。

お兄ちゃんとお姉ちゃんは、このコンビニからまきふん公園とは反対に5分ほど行った、いざなぎ神社の公園で生活をしていると聞き、いずれどこかで鉢合わすのも時間の問題だなと思ったが、近くに兄弟が居ることは安心感を生んだ。

その後、変な客や大学のことなど、いろんな話をしたが、今後の生活の話はしなかった。なんの

目途も立っていないので、話しようがなかったのだろう。

「またくる」と言い、お互いに頑張ろうと励まし合ってコンビニを後にした。

公園に戻り、お兄ちゃんと話したことで久しぶりに家族の温もりを感じながら寝ることができた。


それからの数日は基本的に、お金を探す毎日だった。

かなりの高確率でお金が落ちている自動販売機の並んだ酒屋があって、そこを「宝島」と呼んだ。

しかし、さすがの宝島にも毎日落ちているわけでなく、もちろん収穫の無い日もあって死と隣り合わせだった。

収穫の無い日は必ずお兄ちゃんのいるコンビニに行くのだが、お兄ちゃんも毎日働いているわけではなかった。

コンビニに居ないのなら公園だろうと、お兄ちゃんとお姉ちゃんが生活する公園にも行ったが、誰も居なかった。お金も拾えずお兄ちゃん達も居ない日は、はっきり言って地獄だった。

それでも何かを求めて歩いていると、黒い財布らしき物体を遠くに発見した。

好機とうかがい猛ダッシュで駆け寄り、必死のスライディングでその物体を拾い上げたら汚いボロ雑巾だった。

ぬか喜びも甚《はなは》だしい始末。

何も食べる物が無く、困り果てているときに目に飛び込んできたのは、**公園の草**。

その草が食べられるのかなんて全くわからないが、何かを口に入れなければ待っているのは死である。

とりあえず草を食べてみる。

草は苦くて緑臭くて美味しくなかった。

野菜と大差無いはずなのに、みんなが食べないわけである。

昔の人はちゃんと食べ比べた結果、美味しい草の情報のみを残してくれていたのだ。

昔の人、ありがとう。


草だけの日もあった。

草はどれだけ食べても大して腹は膨れず、飽きもすぐにきて、見るのもうんざりしてくる。

そんなとき、目に飛び込んできたのはダンボールだった。もしかしたら食べられるかもと、**ダンボールを食べた**こともあった。

そのままでは食べられなさそうだったので水に濡らした。

おひたし的発想だったけど、味はおひたしには程遠くクソ不味かった。臭くてたまらなかった。

とても飲み込めなかったけど、それでも空腹は少しは紛れた。

お母さんの料理が食べたい。お母さんの温かい手料理を思い出す。

我が家のディナーはダントツに湯豆腐が多かった。子供の好きな食べ物で湯豆腐なんてほとんど聞いたことがない。

僕も例にもれず湯豆腐は好きじゃなく、献立を聞いて湯豆腐だとテンションが下がった。

不器用な僕は箸を使うのが下手で、豆腐をうまく掴めないことも嫌いな要因のひとつだった。

お母さんはそんな僕を見て、器が空になると器用に豆腐をすくって入れてくれた。それでも湯豆腐が嫌で、「熱くて食べられへん」とダダをこねると、お母さんは自分が食べるのをやめて、豆腐をフーフーして食べさせてくれた。

それだけで不思議と豆腐を美味しく感じた。

お母さんの不思議な愛の調味料。

僕のワガママはだいたい聞こうとしてくれたお母さんだったが、献立の湯豆腐だけは減らなかった。お父さんの大好物だったのだ。

いつも無口で、口を開けば怒っているようなお父さんだったが、湯豆腐の日はそれだけで機嫌が良かった。湯豆腐は好きじゃなかったけど、美味しそうに食べるお父さんを見るのは嫌いじゃなか

った。

僕がお母さんの料理の中で一番好きだったのはカレーだった。

子供の頃、『カレーの王子様』というレトルトカレーが流行って、友達はみんな「最高に美味い」と子供ながらに褒め称えて、それを食べたことを自慢した。

僕も何回か食べたけど、僕はお母さんの作るカレーのほうが一〇〇倍好きだった。

最後の晩餐《ばんさん》というものがあって、死ぬ前になんでも好きなものを食べさせてやるから三品自由に選べと食の神様に問われたら、一品は迷うかもしれないけど、二品は即答する。

お母さんのカレーと湯豆腐。


そんなことを思い出すと、ますます腹が減る。

草にも飽き、ダンボールが食べられないことも知り、お金を探しても見つからず、空腹に限界を感じたその日、まだ昼間でお兄ちゃんが働く深夜までかなりの時間があったが、何かの間違いでお兄ちゃんが昼からコンビニに居ないかと、フラフラ足を運んだ。

もちろんお兄ちゃんは居なかったが、僕の望んでいる食べ物はいっぱいあった。

パン売り場の前に行き、よだれを垂らした。体力の限界がきてパン売り場の前にしゃがみ込んだとき、店の人から死角になっていた。

こんなに腹が減っているのだから一個ぐらい盗ったってバチは当たらないだろうと、いけない考えが浮かんできた。かなり葛藤《かっとう》した。

お兄ちゃんの働く店だからという考えは一切浮かばず、ただ罪を犯すか犯さないかで迷っていた。

腹の虫と理性が戦っていた。

そのとき、お母さんの顔が浮かんだ。

もしお母さんが見ていて、そんなことをしようとしていると知ったら、どんな顔をするだろうか。

それを考えると、とても盗む気にはなれなかった。

腹の虫が負けた。

そんなことを考えているうちに、1時間以上パン売り場の前にしゃがみ込んでいることに気付き、新たな考えが浮かんできた。

中学生が1時間以上もパン売り場の前でしゃがんでいたら、店員もしくは他の客はどう思うだろう。

何か様子がおかしいと思うのが普通じゃないか。

もしかしたら、「どうしたの？」と話し掛けてくれて、事情を説明すればパンのひとつやふたつぐらいもらえるかもしれない。偶然、知り合いがきて買ってくれるかもしれないとも考えた。

そこからは僕と周りの人間との持久戦である。

しかし、２時間経っても３時間経っても誰も話し掛けてこなかったし、知り合いにも会わなかった。

途中、お父さんにお菓子をおねだりする子供の声が聞こえた。「買って買って！」という子供に対して、お父さんはわりとすんなりと「仕方が無いな」と買ってあげていた。

父親に、

「甘やかすな!!」

そして子供に、

「お前も甘えんな!!」

と怒鳴り付けてやりたかったが、そんな体力も無かった。

結局、この持久力対決は気持ち悪がられただけで、時間の無駄に終わった。

本当に死ぬかもしれない、神様は何をしているんだ、中学生がこんなに飢えているのに。と、人生の無情さを恨みながら公園に帰った。

しかし、神様はちゃんと僕を見てくれていた。

奇跡が起きた。

それまで公園で生活をしていて一回も見なかったのに、その日、そのとき、公園にはパンの耳を

餌《えさ》として鳩にあげているおじさんが居た。

僕は急いでおじさんの元に駆け寄り言った。

「**すいません、その餌、少しでいいのでわけてもらえませんか?**」

おじさんはきっと僕が、鳩に餌をあげたい心の優しい少年だと思ったのであろう、快く餌をわけてくれた。

僕の会心の「**いただきます!!**」が公園に響くと共に、超特急でパンの耳を口に放り込んだ。

おじさんは一瞬、事態が飲み込めずに目を剥いて驚いていた。

鳩に餌をあげているおじさんが、鳩が豆鉄砲をくらったような顔をしていた。おじさんが豆鉄砲をくらった。

驚きのあまり、おじさんの息を吸う音がはっきりと聞こえた。

あんなにはっきり人の息を吸う音を聞いたのは初めてだったけど、そんなことはお構い無しにパンの耳をむさぼった。

パンの耳は本当に美味しくて、体中に染み渡った。

おじさんはまだ何本か残っていたパンの耳をくれて、どこかに去っていった。

鳩からしてみればいい迷惑だ。ごめん、鳩。

その日が公園生活の中で一番飢えた日だった。

あの日、もしパンを盗んでいたら、僕の人生がどうなっていたかを考えると、ぞっとする。

お母さんが止めてくれた。

お母さんが守ってくれた。

お母さんが見ていてくれた。

こんなに離れていても、まだ僕を救ってくれたお母さんに会いたくて仕方が無かった。

神様は、ご飯を食べたいという願いは聞き入れてくれたが、お母さんに会いたいという願いは聞き入れてはくれなかった。

ウンコのオバケと呼ばれて……

そんな日々を送っていたある日の朝、いつものようにウンコの中で寝ていると、頭にドンという衝撃が走った。

起きると、寝ていた滑り台の中腹から〝設計ミス〟の角度を急降下して、一番下まで滑り落ちていた。何が起こったのか一瞬わからなかった。

寝相が悪くて落ちたわけではなく、滑り落ちた理由は頭への衝撃だった。

このウンコはもちろん中から登ることもできるが、外から登るのも簡単で、僕が寝ていることを知らずに外から登ってきた子供が滑ってきたのだ。僕はロケット鉛筆のように子供に押し出される形になった。

僕もかなりびっくりしたが、降りてきた子供はまさかこんな所に人が寝ているとは思いもよらず、さらに驚いていた。そして目を剥きながら叫んだ。

「オバケ！　**ウンコのオバケや！**」

それだけ叫ぶと、子供は泣きながら足早に走り去っていった。どうやら子供は一人だったらしく、泣き声がだんだん遠くなっていった。

僕の肌は、人より茶色い。

小学校の頃、毎日ちゃんとお風呂に入っていたのに、クラスメイト全員の前で先生から、

「田村、ちゃんと毎日お風呂入ってるか？　なんか肌汚いぞ！」

と言われたことがあった。

それぐらい茶色い奴がウンコの中に居たので、ウンコのオバケに見えたらしい。しかも時間はまだ朝の7時だったので、そんな時間に公園に人が居るとも思っていなかったのだろう。

夏休みに子供の遊び場である公園で寝ていた僕が悪いので、子供に悪いことしたなと思いながらも再び寝床に戻った。

咄嗟《とっさ》の出来事に心臓がドキドキして寝付けずにいると、また子供の声がした。

「おい！　ウンコのオバケ！」

呼ばれたので顔を覗かせた。

「ホンマや！　ウンコのオバケや！」

さっきの子供が友達を連れてきていた。

「逃げろー！」の号令と共に、どこかに走り去っていった。

そんなに肌が茶色いかなと少しだけ傷付いた。

再び横になっていると、また呼ばれた。

「出てこい！　ウンコのオバケ！」

今度は子供が五人になっていた。

子供は五人になるととても強気だった。子供特有のおちょくる口調で言ってきた。

「おい！　オバケェ！　何してんねん？」

僕は言い返した。

「何でもええやろ！」

「俺らのウンコを返せや！」

そういう言い方をされると子供が相手とはいえ、自分もまだがっちり腹の立つ年齢だった。

「お前らのウンコちゃうわ！　俺のウンコじゃ！」

「うっさい！　出て行け！」

「出て行きたくても行くとこないんじゃ！」

「うっさい！　出て行け！」

「どこに居ようが俺の勝手やろ！」

「お前がおったらウンコが臭くなるんじゃ！　出て行け！」

「臭くなんかないわ！　お前らがどっか行けや！」

全く同じレベルで喧嘩している自分が悲しい……。

さらに子供は、

「どっか行かんとしばくぞ！」

「やれるもんやったらやってみろや！」

と言いながら僕はウンコから飛び出した。

子供達は蜘蛛《くも》の子を散らしたように逃げていった。

子供達を追っ払ったウンコのオバケは自分の城に戻る。


15分ぐらい経ったときだった。「カツーン」とコンクリートのウンコに何かが当たる音がした。

子供達が石を集めて帰ってきたのだ。

子供は残酷である。

素手では勝ち目が無いと、飛び道具を使ってきた。子供が投げているとはいえ、結構怖い。しばらく身を潜めて石が無くなるのを待っていたが、子供達は相当な量を用意していたみたいで、なかなか石が尽きる様子は無い。様々な悪口と共に、石が飛んでくる。

じっとしていてもらちがあかないので、一か八か捨て身で出ることに決めた。

設計ミスの急勾配を滑り降りて飛び出そうとすると、そこにタイミング良く石が飛んできてギリギリでかわした。我ながらなかなかの反射神経だ。

素早くその石を拾い上げて、当たらないように気を付けつつ威嚇《いかく》で投げ返し、叫びながら走り寄

った。

「**くらぁぁぁぁー、捕まったら終わりや思えよ！　捕まったら終わりや思えよ！　捕まったら終わりやおもえよぉぉぉぉぉぉっ！！！**」

一斉に逃げ出す子供達の逃げ足は異常に速い。なんとか追っ払った。

ライバル達はなかなかに手強かった。

所詮自分も中学生なので子供なのだが、そのときは大人を見くびるんじゃないと思った。

しかし、相手を見くびっていたのは僕のほうだった。


次の日、また襲ってきやがったのだ。

しかも昨日より明らかに大きい石を集めてきている。人数も七人に増えている。

これはやばい。

昨日の石なら万が一くらっても大したダメージではなかったと思うが、このサイズは結構なダメージを負うだろう。

城壁に当たる音も昨日とは明らかに違い、ゴツーンといってコンクリが少し剥がれるほどの威力だ。

何としても被弾するわけにはいかない。

何とか口で徹底抗戦した。

「やめろ！　危ないやろ！」

お構い無しに飛んでくる。

「まじでやめろや！　人に向かって石とか投げたらあかんに決まってるやろ！」

お構い無しに飛んでくる。

「まじ頼むわ!!　やめて！　ごめんって！」

お構い無しに飛んでくる。

「俺が悪かった。ホンマごめん。やめよ」

お構い無しに飛んでくる。

「もうええやん!!　やめにしよ!!　な!?」

お構い無しに飛んでくる。

「やめろ言うてるやろ！　日本語わからんのか！！！」

お構い無しに飛んでくる。

「こら！　ええ加減にせーよ!!　俺が誰かわかってんのか！！！！！」

恒例のお構い無し。

「俺はウンコのオバケちゃうぞ！　ウンコの神様やぞ！　バチが当たるぞ！」

恒例の……といきたかっただろうが、どうやらそこで弾が切れたらしい。好機と見て叫びながら躍り出る。

「くぅらぁぁぁ――、捕まったら終わりや思えよ！　捕まったら終わりや思えよ！　捕まったら終わりや思えよ！！！」

悲鳴に近い声を上げながら逃げ惑う子供達。

昨日ならここで追いかけるのをやめたが、必要以上に追いかけた。

そして必要以上に叫んだ。

「おぉらぁぁぁ――、全員下痢にしたるからな！　全員下痢にしたるからな！　神様に逆らったらどうなるか教えたるからな！　明日、お前ら全員、絶対下痢やからなぁぁぁっぁっぁ――――！！！！！！」

子供のうち二人はみんなの石を運ぶために、かご付きの自転車できていた。

そのうちの一人は焦り過ぎて手間取り、逃げ遅れていたために捕まえようと思えば捕まえられるぐらいの距離まで詰めることができた。

その子はビビり過ぎて泣いていたので、捕まえはせずに逃がしてやった。

なんとか勝利を収めたが、叫び過ぎて声がかれていた。

もしまたきたらやばいので、先程まで散々投げられた石を拾って確保しておいた。

こういうことに費やす子供のエネルギーは半端じゃない。どこから拾ってきたのか相当な量である。半分は拾って、半分は草むらに捨てた。

しばらく様子を見たが、僕の心配をよそに子供達はもう襲ってこなかった。

次の日も、その次の日も襲ってこなかった。

もしかしたら本当に下痢になった子が居たのかもしれない。


それから数日後、朝起きると枕元に一枚の紙が置いてあった。

「ウンコの神様へ　下痢が止まりません。どうしたらいいですか？
3年2組　山下真一」

あのメンバーの一人が本当に下痢になって止まらなかったのか、話を聞いたお腹の弱い子が相談してきたのかわからないけど、どうやら僕はオバケから神様に本当に昇格したようだった。言ってみるもんだ。

残念ながら山下君、僕にはどうすることもできない。山下君を含め、全国の下痢が止まらない少年少女の皆さん、冷たい物の飲み過ぎやお腹を冷やさないように十分注意してください。

野良犬とのガチンコ勝負

ある日、雨が降った。

ウンコの中に居た僕は、そんなに風が強くないのを確認して、妙に威張った気持ちになっていた。ウンコのへリが高いことから、少々の雨なら防げるであろうとここを選んだのだ。

しかし、僕はただのアホであることを痛感する。

確かに横から入ってくることはなかったが、ウンコは滑り台で、もちろん天井は無いので、雨は上から誰にも邪魔されることなく普通に入ってきて滑り台を滑り、きっちり中までびちょびちょになった。

普通に考えればわかることだが、僕の考えはそこまで至らなかった。至れなかった。至りたかった。

急いで荷物と一緒に避難した。

すぐ横の屋根のあるベンチで雨を眺めていると、いいことを思い付いた。

おもむろに服を脱いで、雨の中に飛び込んだ。

しばらくお風呂に入っていなかったので、チャンスと思い体を洗った。シャンプーや石鹸は無かったがそれなりにすっきりした。

それからは、雨が降るたびに体を洗った。

雨が降る時間がバラバラなので、風呂に入る時間も本当にバラバラだった。夜中にあわてて起きて体を濡らしたこともある。

小雨のときの歯痒《はがゆ》さったらなかった。何度も空に向かって叫んだ。


「**降るなら降る！　降らないなら降らない！**」


後から聞くと、お兄ちゃんとお姉ちゃんは少し離れた所にある市民体育館のシャワーを使っていたらしい。

僕が友達の家に居座っていると思っている二人は、全くそんなことを教えてくれなかった。

まきふん公園は結構大きな公園だったけど、トイレは設置されていなかった。

男だから小のほうは草むらなんかで済ましたけど、大のほうはどうしたかというと……草むらで済ませた。

最初はちゃんとイズミヤのトイレを借りたり、コンビニに行ったりしていたのだが、あるときに我慢しきれずに草むらでした。

それからは、自分の中で草むらは「ＯＫ」になってしまった。

最初にしたときに紙が無くて葉っぱで拭いた。その葉っぱの名前は知らないけど結構硬くて、おしりはとてもヒリヒリした。

その次から落ちている新聞紙を拾っておいた。新聞紙だったらトイレットペーパーと大差無いだろうと思ったのだが、葉っぱと大差無かった。

新聞紙がこんなに硬いものとは知らなかった。

こ難しい内容なんかより、よっぽど硬かった。トイレットペーパーの柔らかさは、公園では手に入る代物ではなかった。


一度、草むらの中で大のほうをしているときに犬が寄ってきた。

野良犬はただでさえ怖いのに、今の状態はあまりに無防備だ。

襲ってきたらどうしようかと、とても焦った。

昔、誰かに野良犬は目を逸《そ》らしたら襲ってくると聞いたことがあったので、目を逸らさずにしゃがんだまま威嚇した。

野良犬は２～３メートルの所まで近寄ってきた。

全神経を眉間に集中させて、必死の形相で犬を睨み付けた。

ヤンキーの力を誇示するような膝を開いたウンコ座りではなく、膝を閉じたマジのウンコ座りのまま思いっ切り睨み付けた。

犬はそこで立ち止まった。

目が合ったまま緊張状態が続く……。


その均衡《きんこう》を破ったのは犬だった。

僕の眼力に負けたのか、目を合わせたまま一歩後ずさりしたかと思えば、小さな声で、

「ワン！」

と、ひと鳴きしてどこかに走り去っていった。

助かったと気が緩んだ瞬間に、「ブー」とオナラが出た。

少し離れた所から、そのオナラに返事するかのように、

「ワン！」

と、聞こえた。


僕は完全勝利を収めた。

Tシャツとの悲しい別れ

洗濯はどうしていたかというと、着替えもあり水道もあったのでわりと小まめにできた。だが、洗剤はもちろん無いので、手でゴシゴシするだけだと意外と汚れは落ちないものだった。

洗剤って凄いなと思った。洗濯機の労力もわかった。

洗った洗濯物は、鉄棒に干した。

見た目は物干し竿とそんなに変わらないが、鉄棒というだけあって、あの棒は鉄である。しかも野晒し。乾いた服を取り込もうと手にしたら、掛けてあった部分にびっちりと錆《さび》が付いていた。

遠くから見たらボーダーのデザインに見えなくもなかったが、近くで見ると錆は錆だった。せっかく洗ったのに汚れるという本末転倒の結果。

とても悲しかった。お気に入りのTシャツが駄目になってしまった。

しかし他に干せそうな所が無かったので、その駄目になったTシャツで鉄棒の錆を拭いて落とした。それ以降は多少、錆が付いてもデザインが変わるほどは付かなくなった。犠牲になるのはこの一枚で済むはずだったのに……。

そしてもうひとつ厄介《やっかい》だったのは風である。

洗濯ばさみがあれば良かったが、当然のように公園には見当たらなかった。

洗った服をただ鉄棒に掛けているだけなので、朝起きると風に飛ばされて地面に落ちていることが結構あった。地面は砂利が敷いてあったので、Tシャツは砂まみれになっている。乾いてから落ちていた場合は払えばどうにかなる程度だったけど、乾ききっていないうちに落ちてしまったときはこれでもかというぐらい砂が付いていて、まるでフジツボかと思った。


そして、ここで起こったさらなる悲劇。

風が強過ぎてTシャツが無くなっていたのである。

一枚羽織っていた鉄棒が裸になっている。そんなにいっぱい持ってきていたわけではなかったので、これ以上枚数が減ってしまうのは痛かった。

少し探してみると、なんと草むらの中で発見した。

見つけた瞬間はとても嬉しかった。諸手を上げて喜んだ。

が、よく見ると僕がトイレとしている所に落ちていて、昨晩に済ませた大の上に不時着しており、錆よりも酷い大がこびり付いていた。さすがに拾うに拾えない状態だった。

これは自業自得と言うべきなのか。トイレも仕方無かったし、干す所もそこしか無かった。

トイレをしないわけにはいかないし、服も洗わないわけにはいかなかった。

洗濯の日を変えればよかったと後悔したが、その日の寝るときにはほとんど風は吹いておらず、

夜中に吹く突風を予測するなんていう、まるで諸葛亮孔明《しょかつりょうこうめい》みたいな力は持ち合わせていなかったし、もしかしたら風以外のなんらかの力で落ちたのかもしれない。

恐らくそのTシャツがそこに落ちてしまったことは、きっと防ぎようのない運命だったのだろう。別れるしかなかった、僕とTシャツの悲しい運命の話。


洗濯なんかをしていると、お母さんのことを思い出す。

僕は外で遊ぶのが好きで、いつも服や靴下をドロドロにして帰った。

お母さんは「もう、こんなに汚して」と口では言いながら、嬉しそうな表情を浮かべていた。

そして、その服や靴下達はいつも新品のように真っ白になって帰ってきた。

だからといってお母さんはまめに洗濯をしていたわけではなかった。

お母さんは面倒くさがりなところがあって、なんでも後回しにする癖があった。

よく洗濯物や洗い物を後回しにして、山のようにため込んではお父さんに怒られていた。

電球が切れたりしても買い忘れて、これまたお父さんに怒られていた。

そんなお母さんだったが、冷蔵庫の中の牛乳だけは切らすことなく必ず置いてあった。

僕が大好きだった牛乳だけは一度も買い忘れなかった。

その愛情いっぱいの牛乳のお陰で僕はこんなに大きく成長することができた。

掛けられなかった電話

公園生活にも慣れてきたある日、お金を探して町を歩いていると、その頃好きだった女の子と偶然出会った。突然の出会いに僕はテンションが上がった。

彼女が僕のことをまんざらでもなく思ってくれているのは、何ヶ月か前に他の女の子から聞いて知っていた。そして、彼女も僕と同じく、他の友達から聞いて僕が好意を寄せていることは知っている。

僕はとても奥手で自分からデートに誘ったりできなかったけど、その子はわりと積極的な子で、学校で会うたびに「映画を見に行こう」とか「ご飯を食べに行こう」とデートに誘ってくれていたが、部活の練習と重なったりしてタイミングが合わず、まだ二人のデートは実現していなかった。

電話で喋るぐらいなら何度かあったけど、自分から掛ける勇気はなく、いつも彼女から掛かってきていた。

この日、出会ったときの彼女の第一声は「なんで電話、繋がらへんの？」だった。夏休みに入ってからも何回か電話をくれていたらしかった。

「掛けてきてもくれへんし」と言いながらふくれていた。

電話自体が無くなっているのだから、繋がりもしなければ、たとえどんなに勇気を振り絞っても、

もはや掛けることもできない。

彼女は、お互い好き同士なのに、他の友達のように関係が進まないことにイライラしていた。

それでも諦《あきら》めずに「夏休みの間にクラブが休みのときあるやろ？　どっか行こうや」とデートに誘ってくれた。

僕だってもちろんデートをしたかった。

しかし、その日のご飯代さえ確保できない状況で、デートに回すお金なんて用意できるわけがなく、断るしかなかった。

「何で無理なん？」としつこく聞かれたけど、理由なんて恥ずかしくて言えず、ただぶっきらぼうに「無理なもんは無理やねん！」と言うしかなかった。

そして彼女は、限界にまでたまった怒りを抑えながら言った。

「わかった。じゃあ、どこかに行くのは諦めるわ。その代わり家に遊びに行きたい！　それやったらいいやろ？」

OKしたくても家が無かった。

「ここが僕の家です」とウンコに招待するわけにもいかず、再び断った。

彼女はあんぐりとしていた。彼女の頭の中には、僕の家が無くなっているなんて考えはよぎりもしてないのだろう。

何度も諦めずに誘ってくれていた彼女の心もさすがに折れた。

「ほな、もうええわ。あんたには何も頼まんわ!」

そう言って彼女は立ち去っていった。

それ以来、町で偶然会うことはなかったし、学校ですれ違ったりしても彼女は喋ってくれなくなった。

僕の淡い恋心は砕《くだ》けた。

人生を変える奇跡的な出会い

公園生活を始めて一ヶ月弱が経ったある日の夕方、お金を探して歩いていると、一人の友達に会った。

この出会いが田村三兄弟を救う奇跡の出会いになるとは、そのときは微塵《みじん》も思いはしなかった。

その友達とはクラスメイトの川井よしや。

よしやとは小学校は別で、中学の二年で一緒のクラスになるまでは全く接点は無かったのだが、一緒のクラスになって喋っているうちにやたらと気が合い、二年の一学期はこのよしやともう一人気が合ったテツ坊と三人で、部活の時間以外のほとんどを過ごした。

終業式の日も一緒に居て、夏休みにも三人で遊ぼうと約束していた。

何度も家に電話を掛けてくれたみたいだが、電話どころか家ごと無くなっていたので繋がるわけもなく、僕からの連絡も全く無かったので、テツ坊と心配していてくれたらしい。

「ごめんな、ちょっといろいろあって連絡できへんかってん」

一度は適当に喋って別れようと思ったのだが、そのときももちろん腹が減っていたので、ご飯だけでも食べさせてもらおうと思って少し事情を話した。

「ていうか、ちょっといろいろあってな……家、無くなってん。ほんでめっちゃ腹減ってんねやん。

飯食わしてもらわれへんかな？」

よしやはさすがに驚いて、

「マジで⁉　家無くなったん？　何でなん？」

「いや、俺もようわかってないねん」

よしやはそれ以上余計な詮索《せんさく》はしなかった。

「ほな、家おいでや。おかんに飯作ってもらうわ」

「マジで⁉　かまへん？　助かるわ！　ありがとう‼」

そのときは、よしやとは中学からの友達で家に行くのも初めてだったし、よしやの家族にも会ったことはなかったので、そんなに事情を聞かれることもなく、ただご飯だけを食べさせてもらうつもりだった。

その考えは甘かった。

考え方が甘くて幸いした。


そのままよしやについて家に行った。

家に着くと丁度、おばちゃんがご飯を作っているところだった。よしやはおばちゃんに何の事情も説明せずに、

「ただいま〜。あっ、おかん。ご飯、たむちん（友達からはだいたいこの愛称で呼ばれていた）の分も作って」

と当たり前のように言ってくれた。

「初めまして、田村です」と挨拶をした。

おばちゃんはよしやからクラスメイトの僕のことを聞いていたみたいで、

「あっ、たむちん？　初めまして。ご飯食べていくの？」

と、昔から何度も会っている近所の幼馴染みの友達みたいに聞いてくれた。

「食べさせてもらっていいですか？」と言うと、

「わかったぁ」と自分の子供を扱うかのような対応だった。

僕はとてもびっくりした。

今までいろんな友達の家に行ったし、いろんな友達の家でご飯をご馳走になった。みんな歓迎してくれたが、もちろんお客としてである。

それを本当の家族の一員のように、当たり前に受け入れてくれる人は初めてだった。

よしやの所は四人兄弟と多いので、一人分増えてもそんなに変わらないということだけではなく、よしやの「作って」の言い方からも、普段から家族以外の誰かがよく遊びにきていて、ご飯を食べていくことも慣れっこだったのだと思う。

そのまま、よしやに誘われてリビングの横の部屋に行くと、二段ベッドがある部屋で弟二人と妹が遊んでいた。

プレステでアクションゲームをしている次男のたくやと三男のさとやから、よしやは長男丸出しでコントローラーを奪い、

「たむちん、やろうや！」と言うと、2コンを差し出した。

「弟ら、可哀想やん！」と言うと、

「ええねん！　こいつら、どうせ俺が帰ってくるまでずっとやっとってんから」

たくやはコントローラーを取られた瞬間は怒っていたが、すぐに諦めてゲームボーイを始めた。

さとやは「俺も一緒にやっていい？」と何回もよしやに聞いていた。よしやは僕に、

「かまへん？」と確認して、

「俺はもちろんええよ」と返した。

妹のみやは一人でお人形ごっこしていたが、さとやが僕と喋っているのを見ると、僕に話し掛けてきた。

代わりばんこで回ってくるゲームの合間は、みやと喋っていた。

よしやに会う前からかなりの空腹だったので、ゲームでよしやとさとやと戦うことよりも、空腹との戦いのほうがよっぽど厳しい戦いだった。

ゲームをしていると、おばちゃんがよしやにご飯の前にお風呂に入りと促すと僕にも、

「たむちんも入り！　どうせ外で遊んで体ドロドロやろ！　パンツ、よしやの出しとくから」

と言ってくれた。

初めて僕の肌を見て汚れていると判断したのか、子供の友達がきたときはいつもそうなのかはわからなかったけど、そう言ってくれた。

お風呂にはかなり入りたかった。

初めてきた友達の家でそこまで甘えていいものなのか迷ったが、おばちゃんやよしやの当たり前のテンションに促されて甘えさせてもらうことにした。

よしやは先に入りと言ってくれたが、さすがにそれはできないと、よしやの後に入らせてもらった。


お風呂に入ろうとしたときに丁度、よしやのお父さんが帰ってきた。おじちゃんはパンチパーマでいかつくて、見た瞬間ドキッとしたが、とりあえず挨拶には成功した。

「初めまして、田村です」

おじちゃんは少し眉間にしわを寄せながら、

「なんや、よしやの友達か？」と聞いてきた。

怖くて声が詰まりそうになったけど、何とか「そうです」と返した。

すると、とても優しい笑顔になって、

「風呂入るんか？　ちゃんと体洗ってこいよ！」と言ってくれた。

その言い方にも家族の雰囲気が出ていた。

川井家は、みんながみんな、家族のように接してくれる温かい一家だ。


久しぶりのお風呂はかなり嬉しかった。

お湯に触れるのは本当に久しぶりで、最高に気持ち良かった。

この現代社会でお湯の有難みを感じることは難しいかもしれないが、是非ともみんなにもあのときの感動をわかってもらいたい。**お湯、お湯、お湯。雨ではなくお湯。**

それぐらいただのお湯に感動した。

その間、空腹のことは忘れていた。


お風呂から上がると、さらなる感動が待ち受ける。

もちろん、ご飯。久しぶりのまともな、ご飯。みんなで食べる、ご飯。家族の雰囲気。

最高ですか？　最高です！

久しぶりのご飯は凄かった。

涙が出そうだった。

おばちゃんの料理の腕も凄かったけど、温かいご飯はケーキと間違えるぐらい甘くて、おかずももちろん美味かった。

苦手だった魚がこんなに美味いものとは知らなかった。

この日以来、魚が好きになった。おばちゃんの手料理は初めて会った僕なんかにも愛情たっぷりで、偏食まで治してくれた。

あのときの味噌汁は本当に美味かった。あのときの味噌汁より美味しい味噌汁にあり付けることは、もう一生無いと思う。

最後の晩餐の最後の一品は、あのときの味噌汁に決まりだ。


「ご馳走様でした」もちゃんと言って、ご飯の後の談笑も済んで、みんなが明日のことを考え始める時間になった。最高の時間ともお別れである。

僕の今の家は公園。大きなウンコが目印の公園なのである。束の間の安らぎ、束の間の奇跡ともお別れである。

そろそろおいとましようと立ち上がった瞬間、よしやが言った。

「たむちん、今日は泊まって帰りいや。今日だけじゃなくて、ずっとこの家おりいや。ちゅうか、もう住んだらええやん」

信じられなかった。

一食食べさせてもらうだけでもかなり迷惑を掛けてるのに、そんな迷惑をこれから毎日掛け続けていいと言い出した。

よしやの気持ちは嬉しいが、そんなことがまかり通るわけはないし、おっちゃんとおばちゃんだって事情も全く知らないのに、そんなことは許さないだろう。

それを聞いて、おばちゃんが言った。

「そんなん、あかんに決まってるやろ」

一瞬期待してしまった自分が悪い。やっぱり、そんなこと許されるわけがないのだ。

「もちろんです。ご飯、本当に美味しかったです。ありがとうございました」

と僕は言った。

おばちゃんが僕の言葉を遮《さえぎ》るように言う、

「たむちん！　この家住むんやったら、ちゃんと事情を話し。事情もわからんと、おばちゃんも面倒見られへん。でも家が無くて困ってるんやったら、してあげられることはしてあげるから。ちゃ

んと話して」

さらなる奇跡。

僕がお風呂に入ってる間に、よしやがちゃんとおばちゃんに話をしてくれていた。

僕はすぐに話した。

家が無くなったこと。お父さんとは全く連絡が取れていないこと。お兄ちゃんとお姉ちゃんは共に行動していて、たまにお兄ちゃんの働くコンビニに顔を出していること。ウンコの中で生活していること。わかっていること全てを話した。おばちゃんからしてみれば、家が無くなった理由などかなり説明不十分だったと思うけど、それでも納得してくれた。

とりあえず生活の目途《めど》が立つまでは、この家で生活していいと言ってくれた。

ここまで面倒見がいいと異常だと思うぐらいにすんなりと、この家に住むことが決まった。お兄ちゃん、お姉ちゃんについていた嘘が本当になった。

言葉では言い表せないほどに、感謝の気持ちでいっぱいになる。

感謝の気持ちを伝える最高の手段を教えてほしかった。お礼を言うことだけが、そのときの僕にできる、思い付く、精いっぱいの感謝の表現だった。

公園に荷物を置いたままだったので、取りに行くことになった。

道中、やはり感謝の気持ちを伝えたくて、よしやに何回も「ありがとう」と言った。

よしやは本当にいい奴で、

「たむちんが家におってくれたほうが楽しいし、俺も嬉しいわ」と言ってくれた。

そんな話をしているうちに公園に着いた。

公園に着いたら着いたで複雑な気持ちになった。

短い期間だったけど、いろんなことがあった。

この公園ともお別れ。

嬉しくもあり、少し寂しくもあった。

子供の襲撃にあったとき、盾となって僕を守ってくれたウンコ。暑くて寝苦しい夜に、優しく子守唄のように僕を冷やして寝かし付けてくれたウンコ。不安で泣きそうなときに、僕を温かく包んでくれたウンコ。

ウンコは母であり、父でもあった。

ウンコよ、ありがとう。ウンコよ、永遠なれ。そしてウンコよ、さようなら。

いつの日か、僕がまた家が無くなることがあったなら、そのときはまたあなたの中に帰らせてください。

兄姉それぞれの苦労

それから、川井家での生活が始まった。

嬉しいとか楽しいとかよりも、安心が何よりも大きかった。

ご飯に困ることも無く、洗った服が風で飛ばされる心配も無く、犬と対峙《たいじ》することも無く、そんな生活を誰かに見られる心配も無かった。

川井家の両親は何の不自由もなく面倒を見てくれていた。

ご飯やお風呂はもちろん、足りない下着なんかも買ってくれたし、ずっと休んでいたバスケ部の練習にも行かせてくれた。

部活はずっと休んでいたので、先生に事情を説明した。

部員のみんなに最初は何でこなかったのか聞かれたが、適当にごまかした。みんなもそれ以上は追求してこなかった。

久しぶりのバスケは楽しかったし、余計なことを考えなくて済んだので、きっと精神安定剤の代わりになっていたと思う。


部活に行くといっても夏休みの真っ最中。

練習の無いときはよしやとテツ坊と遊んだ。

テツ坊もよしやに負けず劣らずめちゃくちゃいい奴で、僕のことをおばちゃんに話し、僕に残りの夏休みの間、テツ坊のおばちゃんがしている新聞配達のお手伝いをするというバイトの話を持ってきてくれた。

よしやとテツ坊と三人で朝、早起きして新聞を配った。

おばちゃんは「手伝ってくれてありがとう」と言いながら、給料をくれた。恐らく、だいぶ色を付けていてくれたと思う。

そのお小遣いのお陰で、部活の帰りにみんなと駄菓子屋に寄ったりできた。

友達と遊んだり、バスケをしたりするのは本当に楽しかった。いろいろな不安をかき消してくれた。

家が無いことを、家族がバラバラになっていることを、忘れさせてくれる貴重な時間だった。


そして、川井さんは兄姉の心配もしてくれた。

二人ともどうやって生活しているのかを詳しく聞かれたけど、正直僕は自分の生活がいっぱいいっぱいで、お兄ちゃん達がどんな生活をしているのかを詳しく聞いてはいなかった。

川井さんは、なんかあったときのために、川井家の連絡先を兄姉に伝えておいたほうがいいと僕

に教えてくれた。

その日の夜、お兄ちゃんのコンビニに顔を出した。

川井さんの所に泊めてもらえることになったいきさつを話し、連絡先を伝えた。

そして、そのとき初めて、詳しく二人の暮らしぶりを聞いた。


お兄ちゃんとお姉ちゃんは、最初はまきふん公園の近くの神社の横の公園で生活をしていたみたいだけど、その場所では知り合いに会う危険性が高いため、万博の近くのタコ公園という所に生活の拠点を移していた。

どうりで、神社の横の公園に何度行っても居なかったはずである。タコ公園の近くには民家が少ないため、人に会う危険性は少なかったようだ。

当時、まだ携帯電話などはそんなに普及していないし、そんな物を買う余裕もないので常に連絡が取れるわけでもなく、お兄ちゃんとお姉ちゃんは拠点が同じなだけでいつも一緒に居たわけではなかったようだ。

お兄ちゃんのバイト代もあるし、バイト先のコンビニから余った食べ物を分けてもらったりしていたので食べ物の苦労はまだましだったようだが、寝床には苦労したらしい。

お兄ちゃんはバイトが無い日はお姉ちゃんと一緒に過ごし、バイトがある日は深夜働いて、仕事

が終わると公園で寝るか、卒業した学校の先生に相談して、その学校のどこかで寝させてもらっていたようだ。

そもそも、僕とお兄ちゃんは男なのでどこでも寝られるが、お姉ちゃんは女なのでそういうわけにもいかない。

寝床で一番苦労したのは、お姉ちゃんだった。

お兄ちゃんと一緒の夜は公園でも安心して寝られるが、一人だとそうはいかない。昼間は人通りが少ないという好条件が夜は恐怖のもととなる。

人通りが少ない公園にくる人は怪しく見えてしまうし、万が一襲われたら助けを求める人は居ない。

お兄ちゃんがバイトで居ない夜は寝るわけにいかず、公園に居るわけにもいかず、朝までずっと一人で町を歩き回っていたらしい。

こんな状況に追い込まれ、精神的疲労はピークな上に、お兄ちゃんが居ない日が続くと寝られない日が続く。

肉体的な疲労もピークで、歩いているとフラフラになり、意識が朦朧《もうろう》としてくるらしい。あまりの眠気に歩道を歩いていたはずが、気が付くと車道を歩いていてドキッとしたことは何度もあったみたいだ。

ある夜、眠気の限界がきて、歩き続けるのが困難になったときに少し休もうと選んだのは、お兄ちゃんが働くコンビニの裏の小さなマンションの階段の踊り場だった。

何かあれば、すぐにお兄ちゃんのコンビニに逃げ込める。外からもしゃがんでしまえば見えない。少しだけの休憩のつもりだったが、あまりの疲れで寝てしまった。

朝、部屋から出てきたそのマンションの住人と思われる20代後半から30代前半の男性に起こされた。

何気なく家を出て階段を下りてきたら、踊り場に人が倒れていたら、さぞかしびっくりしたことだろう。死んでいるかもとも思っただろう。

生きているのかを確認するとその男性はお姉ちゃんを起こして、なんでこんな所で寝ているのか聞いてきたらしい。

返答に困るお姉ちゃんを見て、行く所が無いことを察したらしいその人は、「俺の家で寝るか？」と聞いてきた。

お姉ちゃんは怖くなって、返事もせずに急いでその場を離れた。少し寝て体力が回復していなければ判断を誤り、その人の家に入っていたかもしれない。

その人がただの良い人であれば何の問題も無いが、悪い人なら監禁でもされて一生忘れることの

できない傷を付けられていたかもしれない。

そういう事態にならなくて本当に良かった。本当に、本当に良かった。

こんな環境ではあったが、最悪の事態には陥《おちい》らずに済んでいた。

この話をお姉ちゃんから聞いたとき、きっとお母さんが守ってくれていたのだと思った。


そんな生活に限界を感じたお姉ちゃんは、昔住んでいた団地のご近所さんの河内さんという人の所に泊めてほしいと頼みに行った。この河内さんはたまたま親戚のおばちゃんと知り合いで、昔から良くしてもらっていた。

河内さんはお姉ちゃんがそんなことを言ってきたので、親戚のおばちゃんに話して、お姉ちゃんをその親戚の家で暮らせるように手配してくれた。

親戚はもちろん、僕とお兄ちゃんの心配もしてくれて、一緒にきていいと言ってくれたらしいが、僕は友達の所に居ることにしていたし（そのときはまだ、よしやに会う前だったので実際には公園に居た）、お兄ちゃんはバイト先が遠くなるので、居住空間の安定よりもバイト先への通いやすさを優先して断ったみたいだ。

なので、お兄ちゃんはそのときは一人で生活していた。

最近、お姉ちゃんにこの話をしたら、全く覚えていなかった。自分がどういう経緯で親戚の所に泊めてもらうことになったのかを。

ほぼ無意識に極限状態で行動をしていたのだ。

そこまで限界に追い込まれていたことを思うと、やはり家が無いことで一番苦労したのは、お姉ちゃんだったのだろう。

この本をここまで読んだ人は、「最初から親戚の所に行ったらええやん！」と思うだろうが、それができない理由があった。

僕が小学校の高学年ぐらいまでは親戚とちゃんと交流があって、正月なんかの集まりにも参加していた。

しかし、あるとき親戚に不幸があり、お葬式が行われた。

そんな場所もわきまえずに、お父さんがなんと「香典を貸してくれ」としつこく頼んだらしい。

結局借りられなかったみたいだけど、そのしつこさがあまりにも酷く脅しに近かったため、絶縁に近い状態になっていた。

そのことがあってから、親戚の集まりにも顔を出せなくなっていたので、河内さんから話がいかなかったら、今も連絡が取れていなかったかもしれない。

そんな状態だから、家が無くなっても誰にも何も頼めなかったのである。

お兄ちゃんから生活ぶりを聞き、川井さんに報告した。

みんななんとか無事に生活していることを聞き、川井さんも安心してくれた。そして「何かあったらこの家に呼んだらいいから」と言ってくれて、「なるべく早くみんな一緒に暮らせたら良いね」とも言ってくれた。

本当に優しくて、本当に温かい。

あっけない再会

次の日、おばちゃんは僕の伸びた髪の毛を見て、「散髪しておいで」とお金をくれた。

僕は好意に甘えて、散髪に行かせてもらった。散髪屋さんに向かって歩いていると、交差点で信号に引っ掛かった。

すると、前から見覚えのある人が自転車に乗ってやってきた。

一瞬、自分の目を疑ったが、それは紛れもなくお父さんだった。

信号が変わってお父さんはこちら側に渡ってくると、片時も離れていないかのように普通に会話をし始めた。

「おーひろし、どこ行くねん？」

「お父さん!!　えっ、散髪やけど……」

「そうか、確かに髪の毛伸びたな」

「うん」

「どこまで行くねん？」

「えっ、すぐそこ」

「そうか……」

お父さんは何か言いたげだったように感じた。

僕は中学生の浅はかな考えで、お父さんはもうどこかに家を借りていて新しい生活が始まっており、連絡先か新しい住所を教えてくれるのだと思った。

しかし、生活の目途が全く立っていないと言われる怖さもあって、自分からそのことを聞くことはできず、黙ってお父さんが口を開くのを待った。

しばらくの沈黙が続く。

そしてようやく開いたお父さんの口から出た言葉は、まさかのあの言葉だった。

「**か、解散！**」

それを言うと、お父さんは自転車で走り去っていった。

追いかけようと思ったのだが、追いかけることはできなかった。

あまりの予想外の発言に、動こうにも動けなかった。

どれくらい青信号を見送っただろうか。

信号が変わるたびに減っては増える人の往来を、ぼんやりと眺めていた。

しばらくしてから僕はようやく我に返り、散髪屋に向かって歩きだした。

とても複雑な気分で散髪屋に着き、切ってもらっている間もモヤモヤしていた。いつもよりだい

ぶ短めに切ったのに、ひとつもスッキリしなかった。

家に帰り、おばちゃんに散髪のお礼を言った。おばちゃんは、「男前になったやん」と褒めてくれた。

お父さんのことは言っても仕方が無いと思い、言わなかった。

体が拒んだ養子縁組

夏休みも残り数日となったある日、お兄ちゃんが川井家にやってきた。用件はお世話になっているお礼と、僕を里親に出す話をするためだった。

どうやらお兄ちゃんと親戚の伯父さんで話し合った結果、受験生のお姉ちゃんと義務教育の残っている僕は、宙ぶらりんのままよりもちゃんと里親に出して、勉強に集中できる環境を整えたほうがいいだろうということになった。

親戚の伯父さんが児童相談所という所に行って面倒を見てくれる人を探してくれた。

しかも、お姉ちゃんと僕がバラバラになるのは可哀想ということで、なんとか僕とお姉ちゃんをまとめてひき取ってくれる人を見つけてきてくれたのだ。

しかし、その家にお世話になるなら、僕は転校しなければならなかった。

川井さんはそんな所に出すぐらいやったら、僕とお姉ちゃんの面倒は見てくれると言ってくれたらしい。

しかし、お兄ちゃんとしてもいつまでもお世話になりっ放しというわけにもいかず、三人で暮らし始められるような状態でもなく、それでもなんとか下の二人にちゃんと学校に行かせるために、考えに考えた末の苦渋の選択だった。

僕としても贅沢を言わせてもらえるならば転校は避けたかったけど、とりあえず一度その里親と会ってみることにした。

お姉ちゃんと一緒に親戚の伯父さんに引率してもらい、電車に乗って会いに行った。


その家は普通の一軒家だった。

外から見たときは何とも思わなかったのに、中に入ると玄関の時点でとてつもない違和感があった。

他人の領域に踏み入れたというか、自分の居るべき場所じゃないというか、何と言ったらいいかわからないけれど、息苦しかった。

その家の人はとても優しそうな人だったにもかかわらず、それでも馴染める気がしなかった。

これから生活させてもらう部屋には、もともとその人の子供が住んでいたのだが、子供が自立して出ていったために空き部屋になっていたらしい。二人一緒の部屋になるけど面倒を見てくれるとのことだったが、部屋に入ると息苦しさは増すばかりで少し吐き気がするほどだった。

伯父さんは、いい部屋だとずっと言っていた。

お姉ちゃんはどう思っていたか知らないけど、僕はとても住む気にはなれなかった。

公園の方がまだましだと感じた。

早くこの部屋から出たくて仕方が無かった。

もともと知り合いでもない、全くの赤の他人の家の空気というのはそういうものなのか、子供が学校を休みたいときに本当にお腹が痛くなるのと一緒で、僕が嫌だったからそういう風に感じたのか、何にせよ体が拒絶してしまった。


適当に話を合わせ、その家を出てから親戚の伯父さんには言えなかったけど、お姉ちゃんにはどうしても嫌だと言った。

お姉ちゃんも僕の気持ちを尊重してくれて、転校も可哀想やし、川井さんがいいと言ってくれている間は友達の近くのほうがいいんじゃないかと、お兄ちゃんと伯父さんを説得してくれた。

お姉ちゃんの説得と川井さんの言葉のお陰で、僕は里親に出されずに済んだ。

もし里親に面倒を見てもらうことになっていれば、収入の安定しない芸人にはなれず、安定した仕事に就くのが義務だったかもしれない。

結構大きな人生の分岐点だった。

そのときはそんな認識ではなかったけど、ずうずうしく川井さんに甘えて、勇気を出して嫌だと言って良かったと思っている。

兄弟が再び集合

夏休みも残すところあと三日になり、よしやとテツ坊と全く手を付けていなかった宿題に追われていた夜、川井さんのおばちゃんから話があると、お兄ちゃんとお姉ちゃんが招集された。

もしかしたら、僕の面倒を見るのにも疲れて、出て行ってくれと言われるのかもとドキドキしていると、おばちゃんは僕の想像を遥かに上回る話をしてくれた。

「私のとこと、ご近所の田原さん、西村さん、それと清君（近所に住む同級生）のとこのお父さんと話し合ったんやけど、やっぱり兄弟三人で一緒に住んだほうがいいという結果になって、協力して家を借りることにしました。お金はみんなが働きだしてから返してくれればいいから、とりあえず三人でそこに住み。ご飯食べられへんときとかは、いつでもここに食べにきたらいいし。ほんで生活保護も受けられるみたいやから、そのお金で生活もなんとかなると思う。明日から準備したら、二学期の最初の日には間に合うから。たむちんもお姉ちゃんも自分の家から学校に通えたほうがいいやろ？」

追い出されるのかと思ったら、最高の形で送り出してくれた。

もはや神の領域の優しさ。地獄に仏、九死に一生を得る、盆と正月が一緒にきた、何と表現したらいいのかわからないほどの喜び。

あのときに、よしやと出会ってご飯を食べさせてと頼んだことから、人生が一変した。

こんなに温かい人達に知らず知らずのうちに囲まれていたことは、奇跡としか言いようがない。

神の思《おぼ》し召《め》しなのか、お母さんが幸運を呼び込んでくれたのか、なんにせよ本当に救われた。


次の日、清のお父さんが見つけてきてくれた、安くて即入居できて、学校からもある程度近い物件へ引越しをした。

正直、今まで暮らしたことのないボロアパートだった。

もちろん木造だし、トイレもボットンだった。

初めて見るボットン便所はなかなかの迫力があったが、三人とも公園を経験しているのでそんなことは気にも止めず、自分達の家に喜びを隠せずにいた。

しかも、２ＬＤＫでお兄ちゃんはリビング、僕とお姉ちゃんには一部屋ずつ自分の部屋が与えられた。

引越しといっても僕達の荷物はほとんど、それぞれの鞄ひとつだったのですぐに終わる。

後の必要な物、洗濯機や炊飯器、冷蔵庫に布団などは川井さんや清のお父さん達が揃えてくれた。

何から何までしてもらった。

この清のお父さんが本当に凄い人で、かなりの良物件を見つけてきてくれたこともそうなのだが、僕達の里親の話のときに、もう後戻りできないぐらいに進んでいた話を白紙に戻すように児童相談所の人を説得してくれたり、実はお父さんが勝手にお兄ちゃんの名前を使っていたことがあって大変なことになりそうだったのを、ちゃんと話を付けてくれたりとかなりの面倒を見てもらった。返し切れないほどの恩を受けた。

引越しは無事に終わり、川井さん達は帰っていった。

僕達は川井さん、清のお父さん、田原さん、西村さんという力強いうしろ盾により、自分達の家、自分達の空間、自分達の部屋を手に入れた。

それは安心して寝られて、心を安らげることができる最高の空間だった。寝るときになり、天井を見て思わずにやけてしまう僕。

この天井が自分の天井だと思うと嬉しくて、近くにお兄ちゃんとお姉ちゃんが居ると思うとニヤニヤしてなかなか寝付けなかった。

天井に人の顔の形をしたシミを見つけた。

そういう霊的なものには全く抗体の無い僕は、本来なら怖がって見ないようにするのだが、そのときは、「こんにちは、これからよろしくな」と軽く挨拶を交わした。それぐらい心が躍っていた。

目まぐるしくいろんなことが起こった夏休みだった。

別れに始まり、出会いに終わったように思う。

この経験により、いろんなことを学んだ。これだけの人の温かさに触れて、人生が豊かになったように思う。

いつまでも忘れない貴重な体験。

ある意味、きっと誰よりも充実した夏休みだった。

幸せに満ちていた母との生活

その夜、これからの家族での暮らしに期待を膨らますと同時に、何故こんなことになってしまったのか考えた。

解散までの経緯、少し長くなると思うが読んでほしい。

もともとは上流とまではいかないが、なかなかの暮らしだった。

団地と名前は付いていたけれど、マンションが三棟からなる団地の敷地の中にはバスケットコートとテニスコート、砂場がふたつに集会所に自転車置き場に駐車場、緑も多かった。

団地の前には中学校、その横に小学校、幼稚園、さらに派出所。もう少し行くと噂の「まきふん公園」があり、その横にスーパーと小さい商店街や市役所の出張所や図書館、内科に外科に歯医者が揃っており、団地の裏にはコンビニがあって、子供を育てるのにこれ以上の環境があるのかというくらい整っていた。

家の中も４ＬＤＫでリビングも大きく、和室がふたつに洋間がふたつ。最上階だったので屋根裏部屋もあり、自分の部屋もすぐにもらえたし、大きなグランドピアノもあったし、当時からウォシュレットが付いていたし、友達の家よりテレビも大きかった。デザートにメロンが出ることもしょ

っちゅうあった。

決して金持ちではなかったけど、まあまあの暮らしだった。

お父さんは大手製薬会社に勤め、課長と呼ばれるぐらいに出世はしていた。

家の中では無口で、口を開けば怒っていた。直接怒られることはあまり無かったが、それでも怖いイメージしか無く、お父さんと話すときは少なからず緊張した。

僕がバスケットを始めた頃、団地のコートで一人練習をしていると、会社から帰ってきたお父さんが僕を見つけて、珍しく話し掛けてきた。

「おう、ひろし。バスケ始めたんか。お父さんも昔、バスケやってたんや、ボール貸してみい」

僕からボールを取り上げるとゴールに向かって投げ始めた。

フォームを見る限り経験者という雰囲気は無く、僕がどんなに「入れ!」と願っても、シュートは空を切るばかりだった。

二十球ほど投げて、一球も入らなかったお父さんは、

「**なんじゃこれ!**」

と、怒りのままにボールを地面に投げ付けて帰っていった。僕がボールを拾い上げたときには、お父さんの姿はもう無かった。

不器用で愛情表現の下手な人だった。

お母さんは本当に優しく、困った人を見ると放っておけない性格で、自分のことよりも他人のことを先に考えて行動する人だった。

マンションのエレベーターの前で宅配便の人が両手で荷物を持っているのを見つけると、エレベーターホールの扉を開けてあげ、エレベーターを呼び、行き先を聞き、行き先の階のボタンを押して「ご苦労様です」と見送ったりする。

そしてなんでも自分のせいにする。

お母さんが悪くもないのに、謝っている姿を何度も見掛けた。

僕が物心が付きだした頃、記憶の中では初めてお母さんの自転車のうしろに乗ったときに、下り坂に入るとスピードが出て怖くなった僕は、お母さんにぎゅっと抱き付くと同時に足を内側に入れてしまった。

サンダルを履いていた僕の足の親指が、後輪に巻き込まれてしまった。

足から血が出て、思わず悲鳴をあげる。

何ごとかと急いで自転車を止めて、足の怪我に気付いたお母さんは、持っていた絆創膏を貼ってくれると、

「大丈夫？　ごめんな。お母さんがもっとゆっくり運転したら良かったな、ごめんな。怖かったな、ごめんな」

僕が泣きやんでからも、ずっと謝ってくれた。何も考えずに足を内側に入れた僕が悪いのに、そんなことは一切言わずにひたすら謝ってくれた。

そんな優しいお母さんが大好きで、いつも一緒に居たくて、いつも甘えまくっていた。

もちろん、僕が調子に乗り過ぎたり悪いことをしたときに、お母さんがちゃんと怒ってくれていた時期もあった。幼稚園ぐらいまでは怒られた。

しかし、僕が生まれつきのアトピー性皮膚炎で、それを自分のせいだと責任を感じていたお母さんは、ストレスもアトピーの要因のひとつだと病院の先生に聞かされてからは、なんとか僕にストレスを感じさせまいと怒らなくなっていった。

そんな背景も知らずに、僕は優しいお母さんにワガママを言いたい放題だった。

おかずに魚が出たときは、食べにくいとダダをこねる。するとお母さんは、どんな小さな骨も見逃さずに取ってくれる。

小学校に入学してからも、明日の準備が面倒だと言えば、時間割と照らし合わせて教科書を入れ

替えてくれる。

お風呂で自分で体を洗うのが面倒だと言えば、頭のてっぺんから足のつま先までしっかり洗ってくれた。お母さんがいた頃に、自分で体を洗った記憶は二、三回しかない。

湯船にお母さんと一緒に浸かっていると、お母さんはいつも湯から出ている僕の肩に手でお湯をすくってチャプチャプと掛けてくれる。それも凄く好きだった。お母さんの掛けてくれるお湯はとても気持ち良かった。至福の時間だった。

その気持ち良さと体を洗ってもらえる楽さで、毎日お母さんと一緒に風呂に入った。

僕は年の離れた弟ということと、アトピー性皮膚炎のことで、本当に甘やかされて育った。


5歳離れたお兄ちゃんとそのひとつ下のお姉ちゃんは、厳しく育てられた甲斐もあって勉強もできて運動神経も良く、部活でキャプテンを務めたり生徒会長を務めたりする優秀な人間で、弟の面倒見も良かった。

お兄ちゃんもお姉ちゃんもみんな、お母さんが大好きだった。兄弟はみんな何かあると、お母さんに報告した。お母さんと喋るのが大好きだった。

そんな環境でぬくぬくと特に不自由することなく活発に明るく元気に、そしてとびきり甘えん坊に育っていく。

突然の母の病

そんな順風満帆に育った田村少年に事件が起こった。

小学校五年、10歳の5月頃だったと思う。

二時間目の休み時間に、友達と些細なことから大喧嘩をしてしまった。口喧嘩から始まり取っ組み合いになって、別の友達が止めてくれるまで続いた。

生まれて初めての殴り合いの喧嘩に自分自身がめちゃくちゃ興奮していて、止めてくれた友達に「なんで止めてん!!」と八つ当たりするほどだった。

結局、決着は着かず引き分けに終わり、授業が始まる頃には冷静になっていて、先生にばれなくて怒られずに済んで良かったなと思っていた。

しかし、次の休み時間に校内アナウンスで、僕だけ職員室に呼ばれた。喧嘩のことが先生にばれて怒られるんだと思い、最悪やなと思いながら、なんで俺だけやねんと、その喧嘩相手の友達はなんで呼び出されへんねんと、不満を漏らしながら職員室に向かった。

職員室で待っていたのは怒っている先生ではなく、心配そうな顔を浮かべたお兄ちゃんとお姉ちゃんだった。

一瞬で頭の中がハテナでいっぱいになった。

たかが喧嘩したことを黙っていただけで、家族を呼び出されるのか？　呼び出されるにしても、お母さんじゃないのか？　といろんなことを考えていると、お兄ちゃんの陰にいた担任の先生が急いで話し掛けてきた。

「お母さんが倒れたんやって。今日はもう授業出なくていいから、今すぐお母さんの所に行ってあげて」

ますます意味がわからなかった。

そんなつもりできたんじゃない。

喧嘩の言い訳しか考えていなかった。

パニックのあまり動けずにいる僕に、お兄ちゃんが促す。

「早く荷物取ってこい！　詳しくは移動しながら話すから」

急いで教室に戻り、荷物をまとめて校門に向かうと、一台の車が止まっていた。

お姉ちゃんの担任の先生が、僕ら兄弟を拾って病院まで連れて行ってくれる段取りになっていた。

自分の担任に見送られ、お姉ちゃんが助手席に乗り、僕とお兄ちゃんは後部座席に座った。

車内で約束通り説明を聞いた。

「お母さんが倒れた。前からずっと悪かったらしいねんけど、ずっと我慢してたみたいで危険な状態らしいねん。俺も詳しくは病院行かんとわからんねんけど……」

こんなに動揺を隠せないでいるお兄ちゃんを見るのは初めてだった。

助手席からしくしくと鼻をすする音が聞こえてきた。

泣かないでほしかった。

誰かが泣くことによってそれが本当になってしまう気がして、嫌で嫌でしょうがなかった。

お兄ちゃんも同じ気持ちだったのか、少し声を荒げてお姉ちゃんに言った。

「泣くなや！　向こう着いてみんと、どーなってるかわからんやろ！」

お姉ちゃんが返す。

「だって……だって、今までこんなこと無かったもん」

お姉ちゃんの涙はより激しくなった。お兄ちゃんも言葉を返せず、車内には誰も喋る人は居なかった。

お姉ちゃんのすすり泣く声だけが聞こえていた。


車内の重苦しい空気を変えたのは、病院に到着したことだった。

お姉ちゃんの担任の先生は言った。

「着いたぞ。ここや」

急いで車から降りて、受付で病室を聞いて向かった。

部屋に到着すると、お父さんはもう着いていて、意外にもお母さんが笑顔で迎えてくれた。

お母さんは、

「ごめんな、心配掛けて。全然大丈夫やから。学校早退して大丈夫なん？　終わってからで良かったのに」

と、自分の心配よりも僕達の心配をした。

話を詳しくお父さんから聞いた。

お母さんは入院することになったのだが、どうやら検査のための入院というだけで、ただの過労だという医者の診断だった。

これからはお母さんのパートの日を減らす、ということになった。

元気そうなお母さんを見て安心した僕達は、「またくるから」と告げて病室を後にした。お姉ちゃんの学校の先生にちゃんとお礼を言って見送り、僕達はお父さんの車でみんなで家に帰った。

大事に至らなくて良かったと家族みんなが何回も言っていた。

検査の結果が出ずに、入院期間は延びていた。

何回かお見舞いに行った。

正直、僕はお見舞いが嫌いだった。

お母さんに会えるのは嬉しかったが、病院は意外と遠かった上に退屈で、お母さんと喋る内容にも特別に変化は無く、早く退院すればいいのにとばかり思っていた。

そして検査の結果が出た。結果が出たと聞いた瞬間に、これでお母さんも家に帰ってこられる。遠くて退屈な病院に行かなくてもお母さんに会えると喜んだ。

しかし、お母さんはもっと大きな病院に移ることになった。

その病院では対処できないので、もっと設備の整った病院に行かなければならないとのことだった。


過労ではなかった。

お母さんの病名は癌《がん》だった。


直腸癌。

10歳の僕にはよくわからなかったが、どうやら発見がかなり遅かったらしく、お母さんはずっと我慢していたみたいで、この状態になってしまうと助かる確率は一〇〇人に一人だと言われた。

僕はそれを聞いてもよくわからず、じゃあ助かるんだと思った。

お母さんが、その一〇〇人に一人だと信じて疑わなかった。


それから、お母さんの容態は悪くなる一方だった。

大きい病院に移っても最初は前と変わらず、お見舞いに行けば元気な顔を見せてくれた。

しかし、だんだんやつれていった。

お母さんに繋がる管の数が増えていった。

やがて一人では歩けなくなった。

直腸からの影響で、自分で排泄できなくなった。

その頃からお母さんのお母さん、僕のおばあちゃんが病院に付きっきりになった。

それでも病院に行けば、お母さんは「心配かけてごめんなぁ」と僕達を気遣った。

お母さんの病室が六人部屋から一人部屋に変わった。

理由はお母さんが毎晩うなされて、周りの患者からうるさくて眠れないと苦情が出たからだった。

毎晩うなされて言う内容は一緒で、僕達兄弟の名前を何回も何回も呼んでは謝るらしかった。

「けんちゃん……さっちゃん……ひろ君……ごめんなぁ……ごめんなぁ……」

それを毎晩、毎晩、何回も何回も言い続けた。

寝ているときまで僕達の心配をしている。

その話を看護婦さんから聞いた僕達はお母さんに、

「僕らは大丈夫やから、早く元気になってや！　早く退院して家に帰ってきて！」

と言った。

お母さんはすっかり弱った細い声で
「ありがとう、ありがとう……」

と繰り返した。

そのとき、お母さんは細い声で、「退院したら、カッパ巻きが食べたい」と言っていた。

お母さんが自分の願望を口にすることはあまり無かったので、とても印象に残っている。

次に病院に行ったときにはお母さんは、意識はあるものの喋れなくなり、自分でご飯も食べられなくなっていた。

寝たきりである。

お母さんに繋がる管がまた増えていた。

お父さんがお母さんの鼻毛を切ってあげていた。

お母さんは首を横にゆっくりと動かして嫌がっていたが、「動いたあかん！　動いたらあかんて！」と繰り返しながら、お父さんは頑張っていた。

そんな風にお母さんの世話をするお父さんを見たのは初めてだった。


僕は、お父さんが好きじゃなかった。

入院するまで家の中のことは全部、お母さんがしていた。それなのに無口なお父さんは口を開けば、お母さんを怒っていた。

僕が幼稚園ぐらいの頃、お父さんとお母さんは夜中によく喧嘩をしていた。喧嘩をするたびにお母さんは泣かされていた。

喧嘩の声を聞くと、必ず目が覚めた。

お母さんっ子だった僕は布団から出て、いつも喧嘩が終わって泣いているお母さんの所に行って「大丈夫？」と聞いていた。

お母さんは「大丈夫やで。心配掛けてごめんな、早く寝なさい」と言っていた。

理由も全くわからずだけど、お母さんを泣かせるお父さんが僕は好きじゃなかった。

小学校に上がったぐらいから、お母さんがあまり言い返さなくなり、喧嘩はそれまでほどには見なくなったけど、それでも仲はあんまり良くなかったと思う。僕の中で、お父さんはお母さんのことが嫌いなんだろうと思っていた。

そんなお父さんが不器用ながらも、必死にお母さんの世話をしていた。きっと、それ以外のこともいろいろしていたと思う。愛情無くしてはできないことを。

僕はお父さんのことをずっと勘違いしていたのかもしれないと思った。

あの日

そして、いよいよあの日。


朝、学校に行くよりも少し早い時間にお父さんに起こされた。

「お母さんの容態が悪くなった。今すぐ病院行くから着替えろ！」

お父さんの車でみんなで向かった。

病室に着くと、おばあちゃんが出迎えてくれて、お母さんの横にはそれまで無かった心電図を表す機械が設置されていた。

その機械の中の線は一定の間隔でピコーン、ピコーンという音と共に動いていた。

白衣を着た人が、

「今は落ち着いていますが、今日が峠です」

と言った。

意味はわからないけど、やばいということだけはわかった。

「さすってあげたり、話し掛けたりしてください」

と言われ、みんなで替わる替わるそうした。

昼ぐらいになると状態はかなり落ち着いたようで、当分は大丈夫だろうと言われた。

その間におばあちゃんは一度、着替えなどを取りに家に帰った。

それぐらい大丈夫だという空気になっていた。


しかし、夕方頃にまた急に容態が悪化した。

病室に緊張感が走る。

白衣を着た人が言う。

「後は気力の問題です。もっと呼び掛けてあげてください」

みんな完全にパニックだった。

お父さんも、お兄ちゃんも、お姉ちゃんもそれぞれがお母さんに話し掛けた。

僕もみんなの真似をして話し掛けた。

「お母さん頑張って！」

「僕ら傍に居るから！　頑張って！」

「京子、大丈夫か！　みんな居てるぞ！　京子！」

「お母さん、早く家に帰ってきて！　頑張って！」

みんなで途切れることなく話し掛けた。

一時間ぐらい経ったときだった。

それまで一定の間隔で脈打っていた心電図の間隔が開きだした。

白衣を着た人が大きい声を出す。

「もっと、もっと話し掛けて！」

みんな必死で話し掛けた。

「お母さん大丈夫？　大丈夫？」

「お母さん、頑張って！」

「お母さん、早く元気になって！」

「お母さん！　大丈夫って言ったやん！」

「ほら、早く元気になって！　お母さん！」

「京子！　大丈夫か？　大丈夫やろ！　京子！　ほら、返事せえ！」

しばらくみんなで必死に話し掛け続けると心電図の動きが激しくなり、きたときと同じぐらいの間隔でピコーン、ピコーンと脈打った。

白衣を着た人も「大丈夫、持ちこたえた」と言った。

みんな、少しホッとした瞬間だった。

心電図の音が変わった。

病室はさっきまでと打って変わってやけに静かになり、心電図の音が響いた。

「ピコーン…ピコーン……ピコーン………ピ…コーン…………ピ――――――」


お母さんは死んだ。


みんな狂ったように吼《ほ》えた。

僕は握っていたお母さんの手を、痛いぐらい強く握った。しかしお母さんの手には一切、力は無かった。指はだらんと力なく垂れていた。

「京子！　京子！　おい！　しっかりせい！　おい！　おい！」

「お母さん、起きて！　お母さん！　お願いやから起きて！」

「お母さん大丈夫！　どうしたん？　お母さん！」

「なあ！　お願いやから起きて！　起きて！」

「おい、京子！」

「ご臨終です……18時50分です」

それを告げると、白衣の人は病室から出て行った。

「嘘やろ！　お母さん！　な！　嘘って言って！」

「お母さん!?」

「お母さ──ん！　お母さ────────ん!!」

「京子ぉぉ──！　京子ぉぉぉ────────！！！」

「嫌や！　嫌や！　お母さ────ん！！！」

「何でなん！　何で起きひんの！　何で？　なあ！　起きてって！　なあ！　起きて！」

声を出すしかできなかった。

誰もがその現実を受け入れることができずに、ひたすら吼えた。ひたすら泣いた。吼え続けた。泣き続けた。

あの無口なお父さんも、しっかり者のお兄ちゃんも、心配症のお姉ちゃんも、僕も。

狂ったように泣き続けた、いつまでも、いつまでも。

お母さんは最後に笑っていた。

その表情は最後まで、僕達に心配を掛けまいと笑っていた。

たくさんの愛情をくれたお母さんは、もう十分に愛情をくれていたのにもかかわらず、僕達に与えた愛情の数を覚えていないかのように、最後の最後まで愛情を注ぎ続けた。

きっと痛くて苦しく辛くてしんどくて、何で私がこんな目にと考えた日もあったと思う。

心残りなこともあったと思う。

それでも、それでも最愛のあの人は笑っていた。

僕達のために……。


おばあちゃんが駆けつけた頃には、みんな一往に落ち着いていた。

おばあちゃんは娘の死に泣いた。

「自分より先に逝くなんて」と。

お姉ちゃんがそれを見て、また泣いた。


それから、お通夜にお葬式と、準備は大変だった。

お父さんもいろいろと動き回っていた。僕も近所の人達に電話で連絡して回った。できることは手伝った。

無事にお葬式を終えた。

立て続けに押し寄せる父の不幸

それからがお父さんの不幸の始まりだった。

妻を亡くした二週間後に、お母さんを亡くした。

僕から見れば、おばあちゃん。父方のおばあちゃんが続けて逝《い》ってしまった。

精神的にまいってしまってもおかしくない状況に追い込まれた。

それでもお父さんは泣き言ひとつ言わずに、今まで家の中のことをしていたお母さんに代わって、家事やらなんやらと、僕達の面倒をちゃんと見てくれた。

お母さんが逝ったその日から、健気に黙々とお母さんの代わりを果たしていた。

それなのに、さらなる不幸がお父さんを襲う。


会社で仕事をして帰って慣れない家事をするという無理が祟《たた》ったのか、お父さんも癌になってしまった。

お母さんと同じ、直腸癌。

症状が同じだったため、今度は発見が早かった。

すぐに入院して、癌細胞を摘出し、一命は取り留めた。

しかし、入院している間に会社をクビになった。

今でこそ当たり前だが、そのときはまだリストラという言葉も聞き馴染みの無いときだった。

精神的にも肉体的にも、限界に追い込まれていった。

退院して何とか仕事を見つけてきたものの、弱りきっているお父さんにはそれを続けるのは困難だった。

やがて、お父さんは荒れていく。いつもイライラしていた。

お酒は飲めなかったので、そんなに無茶苦茶にはならなかったが、帰ってこない日が続くようになっていった。

僕が小学校を卒業して、もうすぐ中学生という春休みに、引越さなければならないと言われた。

その引越しは僕の中学の入学式の日に行われた。

その前の二、三日でみんなで急ピッチに荷物を整理した。

僕は中学校の真ん前のお母さんとの思い出が詰まった家から登校して、中学校から離れた何の思い出も無い家に下校した。

慣れない道を通り新しい家に着くと、もう全ての荷物が運び込まれていた。

新しい家は中学でいうと同じ学区になるのだが、小学校でいうと隣の学区。新しく中学で一緒になった奴と話すきっかけにはなった。

明るかった僕は、みるみる友達が増えた。

その家の前に公園があり、新しく友達になった野球部の奴やサッカー部の奴と、よくその公園で遊んだ。

偶然にもバスケットリングがあったのでバスケの練習もできて、それはそれでなかなかの環境だった。

しかし、お父さんの機嫌はどんどん悪くなっていった。

帰ってこないことも日に日に増えていった。

一年が経ち、二年生になった。

よしやとテツ坊と仲良くなりだしたのはこの頃から。


そして中学入学から一年と四ヶ月が経ったあの日、解散宣言が突き付けられた。


僕達は、もっとお父さんにしてあげられることがあったと思う。

そんな厳しい環境に追い込まれ、お父さんは戦っていた。僕達がもっと早く気付いて助けていれ

ば、解散しなくて済んだかもしれなかった。


よくみんなに「お父さんに恨みは無いのか？」と聞かれる。

確かに家が無くなって苦労はしたが、全く恨みは無い。

むしろ感謝の気持ちでいっぱいである。

お父さんは本当に頑張っていたと思う。

お母さんの死に関しても、きっと僕達よりショックは大きかっただろう。

それでもお兄ちゃんをちゃんと大学に行かせ、お姉ちゃんを高校に行かせ、僕にも部活を続けさせてくれた。

僕達に働くことを強要したりは一切しなかった。

お父さんはちゃんと僕達を育ててくれた。お父さんはちゃんと父親の役目を果たしてくれた。

しかし、お父さんの父親としての役目はまだ終わっていない。僕達が親孝行するために帰ってこなければならない。

今度は僕達がお父さんを守る番。

一日も早くそうしたいと願っています。

お父さん、あの頃は何も手助けできなくてごめんなさい。

平穏で甘酸っぱい中学校生活

話は戻って、川井さん達に借りてもらったアパートからの中学生活。

何ごとも無かったかのように二学期が始まる。

他のみんなと同じように学校に通った。

みんなと少し違ったのは、新しい家は学区が違ったため越境通学だったこと。

本当は転校しなければいけないのだが、中学生活も半分を過ぎていたので特別に計らってもらった。

だから、登校中に元の学区に入るまでは、隣の中学の生徒とすれ違った。

最初は制服も歩く方向も違う僕をジロジロと見てくる他校生の目が嫌だったけど、次第に慣れてきて、そんなことも気にならなくなった。

普通に中学校に通えるようになり、お兄ちゃんから生活保護の一部が僕の生活費として支給された。

一日、1000円。

それは中学生が一日を過ごすのに十分過ぎる額だった。

お兄ちゃんは、僕にこれ以上辛い思いをさせないために頑張ってくれたのだと思う。

兄弟三人で暮らせることはとても有難かった。

朝起きて学校に行って、大好きな部活で練習をして、夜はよしやとテッ坊と遊んだ。楽しくて仕方がなかった。

よしやとテッ坊と遊ばない日は、家の足りない家具を求め、夜な夜な粗大ゴミ置き場を巡った。テレビや扇風機、タンスなどを拾っては持って帰った。

お陰で結構家具は充実していた。各部屋にテレビが一台ずつあった。ただ入れるものはそんなに無いため、棚とかは使い切れてなかった。

そんな生活に満足していたのだが、ひとつお願いを言わせてもらえるならテレビやビデオと一緒にリモコンを捨ててほしい。

どんなに探してもリモコンが見つからず、そんなにテレビがあるのにリモコンはひとつも無く、手動で操作しなければいけなかった。リモコンが無いと使えない機能も多かった。

先生達は僕の境遇を聞いたみたいで、みんな構《かま》ってくれた。

下校途中なんかに僕を見掛けると、

「田村！　うどん食うて帰るか？」

なんて声を掛けてもらった。

単純に嬉しかった。


そして、中学校最大の行事、修学旅行を迎える。

僕にとっても忘れられない思い出ができた。

長野県の白馬という所にスキーに行く、二泊三日のプランだ。お兄ちゃんはみんなと同じように行動できるように、3000円のお小遣いをくれた。

ドキドキして、ベタに前の晩なんかは眠れなかった。

ちゃんと集合時間に行き、バスに乗り白馬に向かう。

バスの中でもはしゃぎまくった。

バスに弱い僕は、うしろを向いたりしているうちにすぐに酔って、ゲロを吐いた。それでもはしゃいで、喋っては吐いて、喋っては吐いてを繰り返した。

そうこうしているうちに、カラオケ大会が始まった。

みんなカラオケの本を見て、「歌いたい歌が無い」とかやいやい言いながらも、それぞれが得意の流行の歌を歌っていた。

チャゲ&飛鳥の『SAY YES』、福山雅治の『IT'S ONLY LOVE』なんかが当時の流

行だった。

僕はカラオケなんか行ったことも無くて、流行の歌も全く知らなかった。

カラオケの本を見ても知らない歌ばかりだった。やっと見つけた知ってる歌。

ゴダイゴの『ガンダーラ』。

僕は熱唱した。僕の歌唱力が酷いこともあったと思うが、みんなあまり知らなかったか、曲調が渋くテンションが上がらなかったのか、次第にほうぼうで喋りだし、誰も聞いてはいなかった。

さすがに先生は聞いてくれているだろうと先生のほうを見たら、バスガイドさんと楽しそうに雑談中だった。

運転手さんだけが少し調子を取ってくれているように見えた。

結構長い歌なので後半は地獄だった。

暗い奴が歌っているならまだしも、普段から明るく人気者だった僕だけに、車内の空気は目も当てられない状況となった。

誰も聞いていない、誰にも求められていない中で歌い続ける。

人気者としてのプライドが、声を小さくすることだけは許さない。最後まで熱唱した。

カラオケは、僕の中でトラウマになった。

その後の僕は酔いばかりが勝って、到着するまで吐き続けた。

何とか目的地に到着。みんなでご飯を食べてお風呂に入って、ホテルで就寝。

その頃には車酔いからすっかり復活していて、初日のホテルは担任に決められた三人一組で泊まりだったので、朝まで同じ部屋になったかっさんとやまだいと喋った。

三人で話し合い、この修学旅行中に各々、好きな人に告白しようということになった。家が無いときに好きだった女の子に、まだ恋心を抱いていた僕は告白を決心した。

あれ以来、その子とは口をきいてなかったが、もともとは両思いだったこともあり、みんなより一歩リードだなと思った。

次の日、人生初のスキーを堪能して晩ご飯を食べて、食後にお土産を買う自由時間が設けられた。チャンス。ここしかないと思い、僕は好きなあの子を探した。

人ごみをかき分けて探し回り、なんとか彼女を見つけだす。

友達の中から、その子だけを連れ出し、久しぶりに喋ることと、初めての告白に心臓がはち切れそうだった。

「好きやねん！　付き合ってくれへん？」

シンプルな告白だった。

もっといろいろ喋ろうと思っていたのだが、緊張がそれ以上の言葉を紡《つむ》がせなかった。

もう限界まで心臓はドキドキしていると思っていたが、心臓はさらに激しく動く。

僕の体温は100度に達した。

沈黙になった。


彼女の返事は、考えさせてというものだった。

友達と合流して保留を伝えた。

結局、三人とも無事に、好きな子に気持ちを伝えることができた。

かっさんとやまだいは二人ともOKをもらい、彼女をゲットしていた。

後は僕だけだった。二人は「いい流れやから絶対大丈夫だ」と、太鼓判を押してくれた。

その日は民宿で大部屋だったので、みんなはしゃいでいたけど僕は彼女の答えが気になって、それどころではなかった。

次の日、スキーをしているときも、ご飯を食べていても、電車で帰っているときも、そのことで頭がいっぱいだった。

家に着いて、兄姉にお土産を渡し、布団に入った。

旅行で疲れているはずなのに、眠れなかった。
こんなことなら告白しなければよかったかもと、後悔してきた。
次の日、修学旅行の余韻に浸ったまま通常通りの授業に戻る。
その日、好きな子と同じ部活の女子から手紙を渡された。
手紙には
「返事を伝えたいから昼休みに校門の横の所にきてほしい」
と書かれていた。
一気に体温が上がる。
昼休みになると、約束の場所にすっ飛んで行った。
少し待つと、その子は現れた。
僕の体温は120度に達した。
勇気を出して聞いた。
「答え、出た?」
彼女は恥ずかしそうに顔を赤らめて、
「うん……いろいろ考えてんけど、やっぱり付き合うのは無理やわ。ごめん……」
が―――ん。

フラれた。

僕だけフラれた。

彼女はそれだけ言うと、走り去っていった。

その校門の横はゴミ捨て場の前だったので、さっきまで気にならなかったごみの臭いが鼻を突いた。

お似合いの場所でお似合いの結果。

どうせ僕の人生なんてそんなもんさと開き直り、このことは忘れて残りの中学生活を頑張ろうと思ったら、たまたま上からお喋りの同級生に見られていて、僕がフラれた話はみんなに知れ渡った。

喋ったことのない奴から「フラれても、めげるなよ」と励まされた。

忘れたくても忘れられない思い出のひとつとなった。

なりそびれたヒーロー

修学旅行も無事に終え、呑気な二年も終わりに近付いていた。


この学校には、一年の最後の行事に駅伝大会があった。

万博の中にコースを設け、クラス代表の五人ずつで競い合う。

部活で身に付けたスタミナと、公園生活で身に付けたハングリー精神により、僕は学年でもトップクラスの持久力を誇っていた。

もちろん、クラスでは一番速かったのでアンカーを任された。

こんな行事どうでも良さそうなもんだが、意外と盛り上がる。しかも、女子も男子もわりと速い人が多かったので、アベック優勝が狙えると士気が上がりきって当日を迎えた。

女子のレースが先に行われた。

気合の入った女子は、難なく優勝を果たす。

ますます男子への期待が高まり、クラスメイトは代表の五人に無作法に期待の声を掛けてくる。

先生まで「絶対アベック優勝だ！」と盛り上がりだす始末。

いざ、男子のレースが始まる。高まり過ぎた期待に他の走者は力を出し切れずに、八クラス中三、

四、五位を行ったりきたり。いまいちパッとしないままレースは進んでいく。

ドンドン僕への期待が高まっていった。走る直前、ただでさえ緊張しているのにさらに期待の声をぶつけてくる。

「もう、たむちんしかおらん！」

「たむちん頼むで！」

「優勝はたむちんの足に懸かってるで！」

天晴《あっぱ》れなまでに遠慮が無い叱咤激励《しったげきれい》。

プレッシャーは半端じゃなかったが、女子の声援は僕に能力以上の力を発揮させた。

四位で託されたたすきを受け取り、僕は走りだした。一周3キロぐらいのコースだったが、一位との間も追い付けない距離ではなかった。

しばらく走るとギャラリーは居なくなり、全員がゴール前の下り坂の所に集まる。だから、待っている連中にはレースの途中経過がわからない。学年全員の視線は、下り坂の入り口のカーブの所に集中する。誰が一番に帰ってくるのか。誰が最初にそのカーブを曲がってくるか。

両手を合わせて祈る女子。聞こえもしないのに、必死でアンカーに声援を送る女子。

多種多様に自分のクラスの優勝を願う。

僕は速かった。自分で言うのもなんだが、ダントツに速かった。

みんなから見えない所であっという間にトップに躍り出て、結構な大差を付けて走っていた。ヒーロー確定。野球なら、お立ち台間違い無いし。

いよいよ例のカーブに差し掛かる。

角を曲がり切って僕の姿が見えた瞬間、歓声が沸き起こる。クラスメイトは喜びの声を。他のクラスの奴は落胆の声を。

しかも、僕が曲がった後、うしろに人影はない。独走状態だと、みんなが認識する。

みんな優勝を確信し、万歳してる奴までいる。

そのまま下り切るだけだった。それだけでヒーローだった。

しかし僕は、寒かったこと、優勝を確信して気が緩んだこと、下り坂というこの条件に絶対出してはいけない鼻水を出してしまった。

口髭《くちひげ》よろしく、両の鼻の穴から垂れ出る見事な立派な青っぱな。

僕が横を走り抜けるとウェーブのように歓声が止まり、みんなの表情が固まっていく。

鼻水さえ出ていなければ、普通のウェーブが起こるはずだった。

少しぐらいの鼻水なら、透明の鼻水なら大丈夫だった。

しかし、僕の鼻から出たのは、ナメック星人の肌の色みたいな大量の青っぱな。

優勝は果たした。
しかし、みんな微妙な表情。微妙な雰囲気。自分のクラスも他のクラスも。
ヒーローになりそびれた。
これだったら優勝しないほうがましみたいな空気で、二年生最後の行事は幕を閉じた。

恩人の死、そして実感する母の死

三年生になりクラス替えが行われ、よしやともテッ坊とも違うクラスになった。

単純にクラスが変わっただけで、よしやとテッ坊と遊ぶ日は昔に比べ確実に減っていった。

他の友達も受験を控え、遊ぶ人も少しずつ減っていき、一人の時間が増えた。

その頃から僕はいつも、ひとつのことを考えるようになっていった。

それは、お母さんが帰ってくるということ。

僕はまだ、お母さんの死を受け入れられていなかった。

中学三年生にもなって、まだ人の死というものをちゃんと理解できずにいた。

多分、最初はわかっていた。

わかってはいたが認めたくないあまり、お母さんが死んだあの日から、時間が経つにつれて記憶がほんの少しばかり薄れていくことに便乗して、もともと同級生よりも発想が子供じみていたこともあり、いつかひょこっと帰ってくるんじゃないかと信じてしまっていた。

自分で洗濯をしたり、同級生より早く起きて自分のお弁当を作ったりするのは大変だったけど、それを頑張っていればいつかは帰ってくると、何の根拠も無くそう思ってしまっていた。

学校でも以前と変わらず、明るく振る舞った。

引退を控えた部活も、ひたすらに頑張った。

いつかお母さんが帰ってきたときに喜んでもらえるように。

お母さんが帰ってきたら、あれを話そうとか、これを話そうとか真剣に考えていた。

いつしか、それが生きがいとなっていた。

信じられないかもしれないが、中学生にもなって本当に真剣に信じていた。


しかし、現実を突き付けられる。


その頃、川井さんと共に僕達三人の生活に協力してくれていた川井さんのご近所さんの西村のおばちゃん。

西村のおばちゃんはとてもパワフルで面倒見も良く、母親のいない僕達、特にお姉ちゃんを可愛がってくれていた。

お姉ちゃんもとてもなついていて、どこかにお母さんを重ねていたのかもしれない。

僕のこともよく、

「しっかりせなあかんで！　お兄ちゃん、お姉ちゃんに甘えてばっかりやったらあかんで」

と励ましてくれた。

その西村のおばちゃんが病気で亡くなった。

その訃報を聞いて、兄弟三人でお通夜に行った。

よしやの家で何回も会っていた西村さんの娘のみどりちゃんが泣いている姿が目に入ってきた。

他の親族の人、川井さんや田原さん、みんなが泣いていた。

自分達がさんざん泣いたあの夜と、みんなの泣いている姿がオーバーラップした。

そして、みんなが泣いている理由を考えた。

一度、体験していることなので、すぐに答えは出た。

みんな、悲しいから泣いているのだ。

では、何故悲しいのか。

大好きなおばちゃんにもう会えないから悲しいのだ。

「死ぬ」ということは「もう会えない」ということなのだ。


その瞬間、お母さんの死を実感してしまった。

あのとき病院ではみんなと一緒に泣いていたが、それからはお通夜でも、お葬式でもその後も全く泣いていなかった。大人はみんな「小さいのに気丈に振る舞って……」と僕を見て褒めてくれたが、どこかでお母さんの死を認めていなかった。

いや、わかっていなかっただけだった。

この日の夜、家に帰って、お母さんが死んだあの日ぶりに部屋で一人で泣いた。小学五年生の僕が、家族と一緒にその場の勢いで泣いたのではなく、中学三年にまで成長した僕が、いろんなことを経験して確実に大人に近付いていた僕が、ちゃんと現実を理解して、あの日以来、初めて泣いた。

その泣き方に激しさは無く、ゆっくりとゆっくりと噛み締めるように、泣いては泣きやんで、泣きやんでは泣いてを何回も繰り返した。

西村さんの死。お母さんの死。全てが理解できて泣いた。

どんなに強く願おうと、やっぱり会えないものは会えないのだと……。

生きることへの興味喪失

その日以来、生きる意味を失った。

僕は人生にやる気を失った。

だんだん人生に楽しみを見出せなくなっていった。

お兄ちゃんとお姉ちゃんが幸せになってくれれば、それで良かった。

もし、お兄ちゃん、お姉ちゃんの身に何か不幸が起こるなら、全部僕に回してくれと、真剣に神様にお願いした。

自殺する勇気は無かったが、いつ死んでもいい、どうせならこの命を使って最後に誰かの役に立って死にたいとばかり考えていた。

死んで、お母さんに会ったときに、褒めてもらえるような死に方をしたい。

死んで、お母さんに会えるなら、その方がずっといい、そう考えた。

人生十五年で十分だ。人生辛いことのほうが多い。もう何も経験したくない。

このまま生きていて、もしまた身の回りの愛する誰かに不幸があったなら、僕にはその悲しみを乗り越えられる自信がなかった。

あんなに辛い思いをするぐらいなら、先に死にたかった。

学校にもあんまり行かなくなった。

お兄ちゃんもお姉ちゃんも大学に行くため、僕より先に家を出る。

僕が家で寝ていても、怒る人は居なかった。

先生達も僕の家庭事情もあるし、家の場所もはっきり知らないけど越境通学というだけで遠いだろうと思ってくれていたのか、遅刻しても大して怒られなかった。

たまにちゃんと起きて家を出ても、途中の公園でぼーっとしたりして、さぼりまくっていた。

あんなに大好きだったバスケットもやる気が失せてしまい、引退を目前に控えながらもやめようと思った。

練習に行かなくなった。

キャプテンのゴリや仲の良かったかっさんから何回も電話をもらったが、それでもやる気は出なかった。

引退目前の最後の練習試合の日に、ゴリが先生に住所を聞いて、僕の家まで迎えにきた。

そのことでお兄ちゃんに、僕が部活に行ってないことがばれた。

「部活はちゃんと最後までやり遂げろ」とお兄ちゃんは激怒した。「やめることは何があっても許さん」と大声で怒鳴られた。

「もしやめるんやったら、この家から出て行け」と言われた。

何かあれば、お兄ちゃん、お姉ちゃんの身代わりに死にたいと思っていたので、家を追い出されるのは避けたかった。

しぶしぶ準備をして、ゴリと一緒に練習試合に参加し、そのまま部活を続けた。

やる気が無くなり、集中力も無くした僕はレギュラーからも外され、引退試合でも多少の出番はあったものの大した活躍もできずにあっけなく引退を迎えた。


そのまま受験に突入するのだが、高校にも行きたくなかった。

勉強は嫌いだったし、成績も悪かったし、高校に行く意味なんて全く無いと思っていた。

働いて家にお金を入れたほうがみんなも楽になっていいと思っていたので、そうしようと勝手に決めていた。


そんなさなか、三者面談というものがあった。

受験生の進路を先生と生徒と保護者で話し合うというものだ。

僕の進路は就職と勝手に決めていたので、全く意味が無いと思いながらも一応、お兄ちゃんに伝えて学校にきてもらった。

面談が始まり、先生にどうするのか聞かれて、僕は就職する意思を伝えた。

何も知らなかったお兄ちゃんが、また激怒した。

アホながらも、ちゃんと高校には行くだろうと思っていたのだ。

話はまとまらないまま面談は終了し、家に帰ってお兄ちゃんに真剣に頭を下げられた。

「家のことは俺がなんとかする。お前はそんなこと考えなくていいから、ちゃんと高校に行ってくれ。そやないと俺、お母さんに合わす顔無いわ。それだけは頼む。高校だけは行ってくれ」

そこまで言われるとは思ってもみなかった。むしろ喜んでもらえると思っていた。

一ヶ月ぐらい悩んだが、お兄ちゃんの説得に負け、気が進まないまま高校を受験することになった。

勉強もほとんどしないまま私立の受験の日がやってきたが、もちろん勉強もしてないのであっさりと落ちた。

続くは公立の受験。

そのときの僕の学力で行ける可能性があったのは、北淀高校と吹田高校のふたつ。

今はそんなことも無いみたいだが、当時の北淀は地元でその名前を出せば不良にからまれなくなるような高校で、しかも名前を書いたら受かると言われていたので、僕でも十分に受かる可能性があった。

一方、吹田高校は学力は高くないが、不良がたくさんいるような学校ではなかった。

運の悪いことにその頃は学力が上がってきて、ワンランク上の吹田東高校（この高校が丁度真ん中ぐらいの学力）と入れ替わるかもと言われており、僕の学力では厳しいだろうと思われた。

不良とか、そういう世界から程遠かった僕は、怖かったけど北淀しかないなと腹をくくった。

普通だったら、私立に落ちて後の無い弟を確実に高校にやるために北淀しかないと考えるところだが、お兄ちゃんは違った。

自身、学区で上からふたつ目のランクに位置する千里高校、そして国立の京都教育大学への合格を成功させているお兄ちゃんは受験というものに、ある程度の知識があった。お姉ちゃんの受験のときにも、かなり相談に乗っていた。

そんなお兄ちゃんは、僕に吹田高校を受けることを薦めてくる。

吹田高校は大学への進学率は高くないが、就職を希望した場合の就職率が１００パーセントという優れた一面もあった。

将来のことを考えれば、吹田高校に行ったほうが良いのは明確だった。

そして、お兄ちゃんはそのときの僕の学力や内申を先生から聞き、今から勉強すれば受かると判断した。

きっと、僕の性格を考えて、北淀に行っても馴染めず続かないだろうという懸念もあったと思う。

一か八かの賭けではあったが、お兄ちゃんに言われるままに吹田高校を受験することになった。

それから猛勉強が始まった。

清のお父さんに紹介してもらって、塾にも行かせてもらった。

塾から帰るとお兄ちゃん、お姉ちゃんが勉強を見てくれた。お兄ちゃんもお姉ちゃんも大学とバイト、さらに家のことをいろいろしなければいけない中で、僕の勉強を見てくれた。

そこまでしてくれた兄姉の気持ちに応えるため、必死で勉強した。

勉強の甲斐があって、何とか吹田高校に無事に合格することができた。

お兄ちゃんの読みは正しかった。

高校に合格したことは、兄弟も川井さん達もみんな喜んでくれた。それは単純に嬉しかった。

お兄ちゃんは合格したご褒美も含めて、高校生になったら何かといるだろうということで一日の生活費を1000円から倍の2000円に上げてくれた。

合格が決まってからしばらくは、高校生活という新しい生活にドキドキした。

恩師の手紙

そんなこんなで始まった高校生活。

入学式も無事に済み、新しいクラスメイトにも学校の雰囲気にもそれなりに慣れた。高校に入ったらバイトして家にお金を入れるとお兄ちゃんに言うと、「俺がなんとかするから部活は入れ」と言われた。正直な気持ちとしては中学のときの後悔もあり、バスケは続けたかったので甘えた。バスケ部に入ると、一年生の中では上手いほうだった。どこにでもいる運動部の明るい奴。傍から見れば何の問題もない普通の高校生だが、頭の中でとても大きな葛藤があった。

ふたつの考えが僕の中で戦っていた。

みんなのお陰で入れた高校生活を頑張らなくてはいけない、一生懸命勉強に励み立派な大人になるために毎日を頑張って生きるという考えと、人生辛いことのほうが多い、早く死んだほうが得だ、お母さんに会えない厳しい現実の中で戦い生きていくよりも、少しでもお母さんの近くに行きたいという考え。

そして、徐々に後者の考えが僕の中で大きくなっていく。

みんなの前では明るく振る舞い、授業中に先生を質問攻めにしたり、ホームルームの時間に誰かの発言に突っ込んだりして笑いを取ったりした。ハズすこともあったけど、それはそれでクラスの

雰囲気は和んだ。

そんなことをしながらも、どこかでそれを客観的に見てる自分が居て、心から楽しめず虚しさばかりが膨れていく。

　部活の時間だけが、体を動かし余計なことを考えなくて済む時間だった。バスケをしているときだけが全てから開放される気がして純粋に楽しかったが、家に帰るとまたマイナスな考えが頭を巡り、生きる気力が失せていく。

　学校に行くのも部活以外に目的は無く、みんなと顔を合わせれば明るく振る舞うが、できるならば会いたくなかった。誰にも会いたくないし、誰かと喋ることも億劫《おっくう》になっていく。

　だんだん面倒を見てくれたみんなへの恩を忘れ、頑張らなくてはという考えが薄れ、ちゃんと学校に行かなくなっていった。

　通学途中の喫茶店に寄って一人でモーニングを食べたり、公園に寄ってベンチで寝たり、理由もなく休んだり、昼に起きて授業には出ずに部活にだけ参加したりと、だらけた生活になっていった。

　中学の頃と同じく、兄姉は大学のために僕よりも先に家を出るので、どんなに遅刻しようがばれなかったため、エスカレートしていく一方だった。

　誰かにこの気持ちを相談すれば良かったのかもしれないが、早く死にたい、十五年で十分だ、お母さんに会いたいなんていう考えは、大人に話してもきっと頭ごなしに否定されるだろうし、友達

に話してもわかってもらえず、情けない心の弱い奴だと思われるだけだと思ったので、誰にも話せないでいた。

そんな状態のまま入学して一ヶ月と少しが経ち、高校最初の中間テストの時期になる。ちゃんと学校に行ってないし、授業が終わるとすぐに部活に行っていたので、あまり担任の先生と話す機会は無かった。だがテスト期間のため部活は自主練習のみになり、放課後なんとなく一人で教室に残っているときに、忘れ物か何かで教室に戻ってきた担任の先生に話し掛けられ、初めてちゃんと喋った。

国語の先生であった工藤さんは40歳ぐらいのおばちゃんだったが、少し不思議な先生で、入学式で初めて対面した日に、

「先生と呼ばないでほしい」

と言った。

「じゃ、何て呼べばいいですか？」

と質問が返ってくると、

「工藤さんでも、工藤ちゃんでも、夏美でもなんでもいい」

と返した。そして、

「私は今、教師をしていて勉強は教えられるけども、決して偉い人間でも何でもない。私は一人の弱い人間だし、きっとこのクラスを担任していくことで弱音も吐くし、みんなの力も借りるし、みんなに教えられることもたくさんある。みんなが私を先生と呼ぶなら、私もみんなを先生と呼ばなければいけない」

と言った。

今までに見たことのないタイプの先生だった。

そして、工藤さんは逆生活指導みたいなことをする人でもあった。

髪の毛が茶色くてもいいじゃない。みんなと違う制服を着てもいいじゃない。

それも個性で、自分の責任でやったらいいと主張していた。

そんなんだから他の先生と会議で言い争いになったり、煙たがられたりしていたらしいが、それでも主張を変えない立派な女性だった。

そんな工藤さんが話し掛けてきた。

恐らく、中学の先生から僕の家庭の事情を聞いていて、気に掛けてくれていたのだと思う。

「学校は楽しい?」

確か、そんなことから会話が始まったと思う。

「まあ、それなりに」

と素っ気無い返事を返した。

「家のこととか大変だと思うけど……」

「はあ……」

「私にできることあったら言ってね」

「大丈夫です」

心を開いていないのが丸出しである。

先生は心折れることなく話し続けてくれる。

「私、悩んでるねん」

「何をですか？」

「このクラスの担任を続けていける自信が無いのよ」

いきなりそんなことを言う先生に僕はびっくりした。

そのまま、工藤さんは続ける。

「私、担任を受け持つのは久しぶりやねんけどね、私なんかが担任でいいのかなと思うねん。みんな、ほんとにいい子ばっかりやのに、私なんか校則は守らなくていいって言うしね、学校からしろって言われることひとつもしないしね、ろくでもない人間やから、一年五組のみんなに悪い影響ば

っかり与えてるんじゃないかと思うねん」

誰かに話を聞いてほしかったのか、自分のことをさらけ出すことで僕の心に少しでも近付こうとしてくれたのかはわからないけど、自分の悩みを僕に打ち明けてきた。

他のクラスメイトが、工藤さんのことを褒めているのを何度も耳にしていたので、

「全然いいんじゃないですか。みんな、工藤さんで良かった言うてますよ」

と返した。

「私なんか駄目よ。みんなにパワーもらうばっかりで何も返せないねん」

工藤さんは独特のイントネーションの変わった関西弁で、熱心に喋っていた。最初は正直なんとも思っていなかったけど、喋っていると工藤さんが表面だけで言っているのではなく、本心で喋ってくれているのがわかってくる。

若干15歳の僕に、自分の悩みごとを全力で相談してくる大人。

少しずつ心を開く少年。

そのまましばらく喋っていると、僕は完全に工藤さんという人間の魅力に取り込まれていった。

みんなの評判を含め、もともと印象が悪くなかっただけに、それには時間は掛からなかった。

「田村君にもたくさんパワーもらってるのに、私は全然何もしてあげれてないしね」

「僕なんか何もパワーあげるようなことしてません。ちゃんと喋ったこと自体、今日が初めてやの

に」

「何言ってんの！　田村君が気付いてなくても、めちゃくちゃパワーもらってんねんで！　田村君が何か言って、クラスのみんなが笑うでしょ。あんなんがめっちゃ助かってるんよ！　凄いクラスが明るくなるのよ！　田村君が居てる日と居ない日じゃ、全然雰囲気違うねんで」

それを言うと、工藤さんはありがとうと言わんばかりのとても優しい微笑を浮かべた。

嬉しかった。僕は照れもあり、素早く否定した。

「そんなん、たまにしかないやん。そもそも僕、あんまり学校きてないし」

「そーよ、せっかくあんなに素敵なパワー持ってるのに。私、田村君にもっと学校にきてほしいねん」

「はあ……」

「もっと学校にきてよ、どうしても嫌なんだったら仕方無いけど……」

「朝、弱いんですよ。起きれないんです」

「何でよー、目覚ましちゃんとセットしてる？」

どうしようか迷った。

本心を聞いてほしい。

この人なら聞いてくれるじゃないかと思った。

工藤さんのひとつひとつの言葉に、教師が生徒と話している感じはなく、人間対人間の言葉という感じが溢れていた。

大人の意見で諭《さと》すのではなく、僕の言うことにもきっと真剣に耳を傾けてくれる。

短い時間でそう感じさせる確かな魅力が、工藤さんにはあった。


兄姉にも言えなかった、初めて人に話す自分の本心。

本心なんて人に話すものなのかどうかも、いまだにわからない。でも僕はきっと心のどこかで、誰かに聞いてほしいと思っていたのだろう。聞いてくれる人を探していた。決心が付くとも付かないとも決まり切らないうちに、僕は喋りだしていた。

「目覚ましはもちろんちゃんとセットしてるんですが、そんなことより……僕、生きてること自体に興味が無いんです。ガキが何を言うてんねんと思われるかもしれないですけど、十五年生きてきていろんなことを経験して、もう十分なんです。たくさん笑ったし、たくさん泣いたし。ただで死ぬのは嫌やから、誰かの身代わりになって、最後に誰かの役に立って死にたいんです。できるだけ早く。生きてることよりも、お母さんに会えることのほうが幸せなんです」

工藤さんはかなりびっくりしていた。

たぶん、普段の僕だけ見てたら無邪気な明るい子という印象で、そんなことを言う生徒にはとても見えなかったのだろう。

「何で？」

「もう嫌なんです。いろんなことを乗り越えるのがしんどいんです」

「楽しいこともいっぱいあるんじゃない？」

「多分、僕の人生、悲しいことのほうが多いと思います。今のところもそうやし」

「いつから？　いつからそんなこと考えてるの？」

「わからないです。一年か半年か前から一人になると、そのことばっかり考えてまうんです」

「……わかった。手紙を書いていい？　言いたいことちゃんとまとめて手紙にするわ。私、手紙を書いてくる。いい？」

「もちろん僕はいいですけど、わざわざ手紙なんて書かなくていいですよ。工藤さんに僕のことで時間取らすのも悪いし、多分この気持ちは変わらないし」

「じゃ、書かしてもらうね。別に気持ちが変わらなくても仕方無いけど、私の気持ちだけは伝えたいから、私のエゴかもしれないけどちゃんと読んでね」

そして次の日、工藤さんは本当に手紙を書いてきてくれた。

家に帰って僕は手紙を読んだ。
茶色い封筒の中には、四枚の紙に鉛筆で書かれた手書きの綺麗な文字が並んでいた。
内容はこんな感じだった。

「拝啓、田村君へ
昨日、田村君といろいろ喋ってびっくりしました。田村君は『十五年生きてきてもう十分だ』と言っていましたが、私にもその気持ちわかる気がします。私の人生と田村君の人生は違うので、私が勝手にわかったような気になっているだけかもしれないけど、私にも同じように考えている時期がありました。私には『夏美が大事だよ』と言ってくれる夫、『お母さん、お母さん』と甘えてくれる子供達がいるにもかかわらず、それでも生きているのがしんどくて、寝るときなんかに『私はこのまま眠りについて、もし目覚めなくてもそんなに悲しまないかもしれない』と思う時期がありました。それでも家族に支えられてなんとか立ち直り、今日まで頑張ってきました。42歳の私がそんなにしんどいのだから、15歳の田村君がしんどいのは当たり前だと思います。でも、私のときに家族が私を必要としてくれたように、田村君の周りの人も田村君を必要としていると思う。兄弟はもちろん、他の教師もバスケ部のみんなも五組のみんなも、田村君が大好

きです。田村君が授業中に質問攻めで教師を困らせているときも、クラスで何かを言って笑わせているときも、部活を頑張っているときも、みんな田村君に力をもらっていると思う。実際、私は田村君が大好きです。私は田村君の全てを知っているわけではないけれど、元気なとき、落ち込んでいるとき、笑っているとき、怒っているとき、私の知っている田村君はどんなときも魅力的で素晴しい人間だと感じています。田村君は今のままの田村君で十分に素敵です。私は田村君にたくさんパワーをもらっています。今の私は昔に比べてだいぶ元気になったので、もし田村君が落ち込んでどうしようもないとき、話ぐらいは聞いてあげられると思うので遠慮なく私の所にきてほしいです。私の父親は去年に亡くなりました。最愛の父親を亡くしとても落ち込んでいました。しかしきっと父親は私が落ち込んだままになっていることを望んでいない。父親がいたとき以上に元気に人生に励むことを望んでいると考えたときに、力が湧いてきて頑張ろうと思えました。そしてきっと今も近くで私を見守ってくれていると思います。田村君のお母さんも、きっと田村君の近くに居て、田村君のことを見守ってくれていると思います。田村君が笑っていることが、お母さんは一番嬉しいことなんじゃないかな。だから困ったときは少しは力になれると思うので、遠慮なく言ってください。

5月14日　工藤　夏美」

手紙を読み終えて、感動して涙が出た。

自分のことを好きだと言ってくれる人がいる。

自分の存在価値を見出してくれている。

それをはっきりと言葉にしてくれる。

それは僕の中で革命的だった。

亡くなった家族に対する考え方も、今までの僕には考え至らない発想だった。

これが何よりも僕を大きく変えた。

そして僕は、お母さんが本当に喜んでくれることはなんなのかを考えた。お母さんが本当に喜んでくれること。僕はお母さんに甘えて迷惑ばかり掛けて、親孝行というものをほとんどしてあげられなかった。僕がお母さんにしてあげた親孝行は、お母さんが働いていた頃、迎えに行った帰りに荷物を半分持ってあげたことだけだった。

お母さんが僕に望むこと、会えなくなってしまった今からでもできる親孝行がある。

それはきっと生きること、僕達兄姉が楽しく笑って生きること。

僕がお母さんのように周りの人間の役に立ち、周りの人間に力を与え、周りの人間を楽しくさせること。それが何よりも親孝行なのだと気付いた。気付かせてもらった。

生きたい。

今までの考えが１８０度変わった。

僕が立派な人間になってみんなに褒められることが、結局はお母さんが褒められることに繋がるとわかった。

僕はめっちゃアホだし、立派な人間じゃないけれど、きっと僕にも周りの人間の役に立てることがある。

できることを全部やりたい。

そしてみんなに褒められるような立派な人間になりたい。

お母さんのような思いやりに溢れた人間に。

そしてそれには何よりも、僕自身が楽しく生きることが大事だと理解できた。


工藤さんからもらった一通の手紙。

僕の人生の価値観を根底から覆《くつがえ》し、生きる希望を与えてくれた手紙。

僕の人生の宝物となったその一通の手紙が、工藤さんとの出会いが、僕を救ってくれた。

遡《さかのぼ》れば高校受験のときのお兄ちゃんのあの決断がこの出会いを生み、僕を救ってくれた。全てのことは繋がりがあって、思いやりの行動はいつか必ず良い結果を生み出すのだろう。

僕はこの日、スーパーでかっぱ巻きを買って食べた。

自分の望みをほとんど言わなかったお母さんが、僕のワガママを全部聞いてくれたお母さんが入院中にポツリともらした、たったひとつのささやかな願い。

「かっぱ巻きが食べたい……」

お母さんが食べたいと言っていて、食べることができなかったかっぱ巻きを、お母さんの代わりに食べて、僕はひたすらに泣いた。

新しいスタートをきるために……。


次の日、早めに学校に行って工藤さんにお礼を言った。

「僕は生きたいです」と伝えると、工藤さんはとても喜んでくれた。

教室に行き自分の席に座る。あんなにやる気のなかった僕にも、ちゃんと机と椅子があることを無性に嬉しく感じた。学校に行く気もなく、生きていく気すらなかった僕の存在を守ってくれていた机と椅子。僕が休んでいるときも僕の存在を守ってくれていたことが、いつもそこに僕の居場所があったことが、生きていることを実感させてくれて嬉しくなった。

周りの同級生や先生方が僕の変化に気付いていたかはわからないけど、きっとこの日の僕は昨日までの僕とは別人の顔をしていたと思う。

兄の心、弟知らず

学校が本当に楽しくなり、無遅刻無欠勤とはいかなかったが、今までに比べるとかなり積極的に学校に行くようになった。

みんなに会ってみんなと喋ることが楽しくなり、改めて話してみると中学までとは違い、みんながいろんな地区から集まってきているという世界の広がりに驚き、その世界の広がりが自分の人生の可能性の広がりのように感じてドキドキした。

よく工藤さんの居る国語準備室に行き、たくさん喋った。工藤さんは何でも聞いてくれて、僕が落ち込むたびに話を聞いてくれた。工藤さんもいろんなことを僕に相談してくれた。

僕を助けてくれた工藤さんを助けるために、僕なりに一生懸命話を聞いて僕の意見を述べた。工藤さんの助けになったかどうかはわからないけど、工藤さんはいまだに電話をするとそのときのお礼を言ってくれる。

純粋な明るさを取り戻した僕は、昼休みなんかによく友達と食堂に行った。食堂でご飯を食べるのだがみんなは基本的には弁当。

僕も中学のときは自分で弁当を作っていたのだが、高校には中学に無かった食堂があってお金が

あればご飯が食べられるので、僕は弁当を作ることはしなくなり、食堂で売ってるパンや定食を食べた。よく友達に羨ましがられた。高校までぐらいだと、毎日食べている料理よりもそっちが食べたいものだ。僕からすれば弁当のほうが羨ましかったが、みんなからいいなと言ってもらえるのは少し気分が良かった。

しかも一日2000円ももらっているから、たまにみんなが食堂の料理を食うときよりも毎日、豪華だった。みんながカレーライスだけのところを僕はきつねうどんも頼んで、さらにデザートにアイスや菓子パンを食べることができた。アイスやジュースなんかはよくみんなにおごってあげた。

部活終わりも、学校の前の駄菓子屋にたまってお喋りしたりする。そのときにもお金のある僕はより多くお菓子やカップラーメンを買って、みんなに分けてあげた。

そういう輪の中では率先して喋るほうで気前もいいから、友達がみるみる増えていった。人なつっこかったので先輩達ともすぐに仲良くなり、どこに行っても居場所ができてきた。

一年の初夏、一日2000円もらってはいたが、そのお金を余らせて貯めるという発想が全く無く毎日使いきってしまい、バッシュや試合のときの交通費や服を買うお金が足りなかったので、バスケ部の先輩に部活終わりの時間からでも高校生を雇ってくれる居酒屋を紹介してもらってバイトも始めた。

行きは学校から自転車で1時間30分ぐらい、帰りは家まで2時間ぐらいかかる所で、家に着く頃にはいつも深夜の2時、3時になっていた。練習もちゃんとしてからの労働と移動はかなりしんどかったが頑張った。

しかし、バイトの次の日の遅刻が増えていった。中学のときや高校入学当初は家を出るのが僕が最後だったので、遅刻してもばれなかった。が、お兄ちゃんが大学の三回生になり、毎日行かなくても卒業できるとなると大学に行く日が減り、僕が遅刻をしているのがばれて怒られた。

お姉ちゃんにもお兄ちゃんから話がいったみたいで、これまた怒られた。

お姉ちゃんはこの頃、僕の親代わりだという意識が強くて、結構いろいろと怒られてうっとうしかったが、今思えば本当に有難い。

まだまだ親のもとで甘えていてもおかしくない歳頃なのに、親の代わりを務めてくれたお姉ちゃんがいなければ、僕はもっと常識の無い大人に育って、どの社会に入っても誰にも相手にされないような人間になっていたかもしれない。

そしてお兄ちゃんに、「あんまり遅刻が続くなら、お金は厳しいかもしらんけどバイトはやめろ」と言われた。

バイトはやめた。遅刻が減らなかったから。部活で限界まで動いた後のバイトは体力的に無理があった。

バイトをやめて遅刻は減ったものの、結局バッシュを買うほどのお金は貯まらなかった。中学から使っているバッシュが限界までボロボロになっていた。

しかし、お兄ちゃんはちゃんとそれを見ていてくれて、かなり厳しい経済状況の中、なけなしの金で僕に新しいバッシュを買ってきてくれた。自分は贅沢のひとつもせずに。

中学三年のときに僕が部活に行ってないことを知ってあんなに怒ったお兄ちゃんの、高校に入っても働かなくていいから部活を続けてほしいという、お兄ちゃんの愛情の塊《かたまり》のバッシュ。

そのバッシュには部活を続けることの意味を知ってほしいというお兄ちゃんの願いが込められていた。

ひとつのことを最後までやり遂げることの意味を、お兄ちゃんは自分が続けてきた野球の中で知っており、話は飛ぶが僕は高校の卒業式のときに、お兄ちゃんが頑《かたく》なに続けろと言った意味を知る。

体育館での卒業式が終わり、部活に入っていなかった連中は教室に帰る中、最後までバスケを続けた僕は、バスケ部の部室で顧問の先生と後輩達に囲まれて、苦楽を共にした仲間と一緒に卒業を祝ってもらう時間があった。

顧問からの卒業記念の品と後輩からの寄せ書き。

そのときに、お兄ちゃんが伝えたかったことの意味がわかった。

あの、生涯忘れることのないだろう「達成感」の意味を。

バブル時代の終焉《しゅうえん》〜一日300円生活へ〜

一年生の秋、文化祭。

文化祭でのクラスの出し物をどうしようかという話になり、そこでも率先して演劇をやろうと言い、クラスの中心となって動いた。

僕の提案でコメディタッチのサザエさんをやることになり、自分で台本を書いてキャスティングも決めて、みんなに協力してもらって本番を迎えた。文化祭の日は、各学年から何組かが体育館で劇や演奏などの出し物をする。ほとんどが僕達一年の出し物なんかには注目してなかったが、結構ウケた。

文化祭から数日間は、知らない人から「あっ、サザエさんの人や！」と声を掛けられたりして少し有名になった。

体育祭でも障害物競走に出て、同じレースの走者と打ち合わせをして、最初の障害までコントみたいに遊びながら走って目立ったり、バスケ部でも一年の中ではもちろん、ひとつ上の学年の中に入ってもレギュラーになれたり、女子バスケット部の三年生に恋をしたり、普段はチャラけているけど部活になるとひたむきに頑張る僕を好きになってくれる子もいたりして告白されたりと、昔公園に住んでいたとは思えない順風満帆な普通の高校生活を送っていた。

何の問題もなく二年生になった。担任は工藤さんじゃなくなってしまったけど、新しいクラスにも馴染み、後輩もできて楽しくて仕方無いこの時期に、神様は再び僕に試練を与えた。

二年生になってすぐのことだった。

それまでもらっていた生活保護かなんかの手当てが、このままもらい続けると僕らが働きだした頃に返さなくてはならないケースがあるらしく、その頃にどうなっているかもわからないので、大事をとって手当てを打ち切ることになった。

僕の生活費は丸々そのお金から支給されていて、それまでのお兄ちゃんとお姉ちゃんの収入では僕の生活費まで賄《まかな》えなくなるということだった。

一日２０００円もらっていたのが３００円になり、「家にあるご飯を一日一膳だけ食べていい」という育ち盛りの高校生には厳しいお達しが出された。

お兄ちゃんがバイトを増やしてもとの金額に戻すので、数日間はそれで我慢してくれと言われた。

もちろんぼくはそんな無理と拒否できる身分でもなく、昔の経験もあるから数日なら大丈夫だろうとバイトすることもなく、その３００円生活に突入していく。

正直、この３００円生活はかなり厳しかった。それまでの２０００円時代の裕福な暮らしを経験してしまっていること、少しの期間だけだろうと決め付けバイトをしなかったこと、バッシュをも

らったときに何があっても部活はやめないと決めたこと、それらの条件が重なり追い込まれていく。

まずは300円の使い道を考える。晩ご飯は家にある一膳のお米で済ます。朝と昼はスーパーやコンビニで売ってる170円で九本ぐらい入ってるスナックパンを分けて食べる。残った130円を貯めていき、おかずが買えるぐらい貯まったら、晩ご飯を贅沢にする。という作戦でいくことに決めた。

しかし育ち盛り。部活も毎日限界まで頑張る。それだけの食い物で足りるはずもない。

最初の二、三日はそれほど辛くなかったが、満腹になることは無い。それが続いてくると公園で経験したときと同様に朝、空腹で目が覚めるほどに腹が減っている。

空腹が目覚まし代わりになり、逆にこの時期が一番遅刻しなかった。

予定通り、朝にスナックパンを買うが、これが予定外に午前中に無くなる。昼までに食べ切ってしまう。

昼休みにはもう食べ物が無くなっているため、教室や食堂でみんなと居ると、ご飯の匂いに発狂しそうになるので、誰も居ない体育館に行き、バスケの練習をする。

最初はお腹が減らないように、あまり動かずに練習しようと始めたのだが、だんだん練習に熱が入ってしまう。しかも意外と、ダラッとするより集中したほうが空腹は紛れる。五時間目の授業に

間に合うようにチャイムの少し前に練習を切り上げるのだが、腹が減り過ぎているので少しでも腹を満たすため、体育館の前にあるウォータークーラーにへばり付いて水をかっ食らうと、10分から15分ぐらい離れることができなくなり、いつも五時間目に遅刻して先生に怒られる。もう少し早く練習を切り上げればいいのに、何故かそれはできなかった。

練習で汗もかいているので、この水が美味いのなんの。

大量の水を噛みながら飲むと、少しは空腹は紛れる。公園時代に覚えた技のひとつ。

水を飲み過ぎて歩くと、胃の中に水しか入ってないのでチャプチャプと動き、胃の中の状態が手に取るようにわかる。きっと胃の中はギリギリまで入った水の中に、午前中に食べたスナックパンの消化し切れてないカスが浮いていたと思う。

そして、五時間目の途中ぐらいから、もう腹が減ってくる。

極力我慢して、たまに我慢できずに五時間目と六時間目の間に水を飲みに行くときもあったが、基本的には六時間目が終わるまで寝てしまうことで空腹を紛らわせた。

そして空腹のまま部活に行く。

練習が始まってしまえば、それで空腹は紛れる。練習が終わると、えげつないボディブローを食らったみたいに腹が減っているので、貯めていく予定の１３０円でおにぎりやパンを買って食べてしまう。半額のパンなど探して買い、１３０円で二個買ったりしたが、それでも動き回った後の育

ち盛りの僕のお腹は満たされなかった。

そして家に帰って、許された一膳のお米を食べる。この一膳を食べてもまだ満腹には程遠いが、これ以上はどうすることもできないので我慢して寝る。これが300円時代の基本的な生活パターンとなる。

奇跡の発見

この家に住み始めた当初から、お兄ちゃんもお姉ちゃんも生活の時間帯がバラバラだったので、三人で一緒に晩ご飯を食べる機会はなく、各々買ってきたものを勝手に食べるという生活スタンスになっていた。

３００円生活に入ってからは、みんなご飯を買うお金が無かったから基本的に家のお米を食べるので、最初にお米を食べる人がみんなの分をまとめて炊いておいて、それぞれのタイミングで食べていた。

そんな生活に入って一ヶ月程経ったある日、たまたま三人のお米を食べるタイミングが同じときがあり、三人共がもっと腹を満たす方法はないのかと、意見が一致した。そしてお米が炊けるのを待つ時間を利用して田村会議が始まり、お兄ちゃんの提案でもっとお米を噛めば、満腹中枢が刺激されて、少ない量でも満腹感を得られるのではないかということになった。

腹が減っているので、がむしゃらにかっ食らいたいのを我慢して噛む。噛む田村兄、噛む田村姉、噛む田村弟。

最初は噛もうと思っていてもつい飲み込んでしまって失敗したが、だんだん慣れてくると飲み込まずに、やたらと噛めるようになってくる。恐らく一口のお米を5分以上は噛んでいた。

お米を噛んでいると、ほのかな甘い味がするのだが、噛めば噛むほどお米の甘さが増してくる。そのまま噛み続けると味が薄れていき、やがて完全に味が無くなる。最初はそこをゴールと呼んで、みんなでゴールを目指した。

一言に味が無くなると言っても、簡単なものではない。

ずっと噛んでいてほとんど味を感じない状態になっても、かすかには残っていたりする。そこでゴールに到達するために必要になってくるのは、自分を一切甘やかさないという断固たる決意。

僕達三人は少しの満腹感を得るために、断固たる決意を持って自分と闘った。

舌の上を何度も転がし確認し、匂いも残らない状態までいってゴールと認識して飲み込んだ。

しかし、文明をここまで発達させた人類の飽くなき探究心は、ときに奇跡を起こす。

いや、空腹を少しでも紛らわそうとするお姉ちゃんの飽くなき咀嚼《そしゃく》心はまさに奇跡を起こした。

そう、それを最初に発見したのはお姉ちゃんだった。

お姉ちゃんはゴールに到達しても、噛むのをやめなかった。

黙々と延々と無表情に、ご飯を噛み続けるお姉ちゃん。

ゴールに到達して、それでもやめずに噛み続けると、しばらく無味が続く。

当たり前の無味。真っ暗な暗闇を歩き続けるような不安な状態。

もはやお米達はもともとは自分達がそれぞれの粒であったことなど完全に忘れ、ドロッとした液

体になっている。

それでも飲み込まずに強い意志を持って噛み続ける……噛み続ける……噛み続ける……。

信じる……いや、信じたのだ。お米の可能性と自分の可能性を。他のことは何も考えずに舌に全神経を集中させて、噛み続ける……噛み続ける……噛み続ける………。


すると、無表情だったお姉ちゃんの顔が、フワッと明るくなった。


まるでモナリザのような、安らかな美しい微笑が浮かんだ。

そしてお姉ちゃんは大きな声で、

「今、一瞬味がした！」

と、叫んだ。

驚くお兄ちゃんと僕。

「味無くなったから飲み込もうかと思ってたんけど、噛み続けたら味がしたよ！ ほんの一瞬やけどフワッと味がした!! フワッと味がしたよ！！！！」

あまりに幸せそうなお姉ちゃんの言葉に半信半疑ながらも、僕とお兄ちゃんも噛んでみることにした。

すると、確かに一瞬だが、味がするではないか。何と信じがたい事実だが、ゴールはスタートでしかなかった。

僕達三人は一心不乱にお米を噛んだ。

確かに、確かに、突然に一瞬だけフワッと味がする瞬間がある。

真剣にお米のことを信じて噛み続けた者だけが到達できる、瞬間の味のきらめき。

これを田村家では「**味の向こう側**」と呼んだ。

それ以来、みんなお米を噛みまくって「**味の向こう側**」を目指した。そして「**味の向こう側**」に何回も行った。

一口10分以上、一膳2時間ぐらいのペースだった。

「**味の向こう側**」に辿《たど》り着くことができたのは、誰よりも農家の人よりもお米の可能性を信じたお姉ちゃんのウルトラCだった。

こうして田村家では、一膳で二膳分ぐらいの満腹感を得ることに成功する。

僕はお姉ちゃんに、諦めない心というものを教わった。信じて走り続ければいつか願いは叶うということを、目の前で実践して教えてくれた。

アインシュタインよりも偉大な発明をしたお姉ちゃんを、僕は心から尊敬する。


それからの僕は、何でも噛みに噛んだ。

毎日、買っていたスナックパンでも、味の向こう側を目指して噛んだ。

それまでは授業が始まるまで、一時間目と二時間目の休み時間、二時間目と三時間目の休み時間でスナックパンを食べきっていたが、味の向こう側を目指して噛んでいると、10分の休み時間では時間が足りなかった。

そこで、なんとか先生に怒られずにパンを噛み続けられないものかと考案した方法が、スナックパンを2つに折って手の中に隠すこと。そして授業中も、何食わぬ顔をしながら優しく握り込んだ拳の中のスナックパンを少しずつ食べる。

この方法で僕はスナックパンでも味の向こう側に辿り着き続けた。

たまに、先生にあごを動かしているのが見つかり「田村、ガム噛んでるやろ！」と怒られたけど、そのときはすぐに飲み込み、手の中のパンを机の中に隠し、空っぽの口の中を見せてガムを噛んでないことを証明して見せた。

「田村、パン噛んでるやろ！」と言われたら謝るしかなかったが、それを言う先生はいなかったので助かった。

基本的にスナックパンを買っていたが、味自体にはかなり飽きがくるので、たまにチョコチップ入りのほうにした。チョコチップ入りのほうはプレーンに比べて一本少ないので、たまにしかできない贅沢だった。

晩ご飯のお米にもかなり飽きがきていた。おかずがあればお米はそんなに飽きたりしないが、如何せん毎日おかずがないので飽きてしまう。

何とか味を変えたくて、友達に頼むことにする。何を頼めば持ってきてもらえるか考え、普通のおかずは無理だろうと思い、ふりかけならば持ってきてもらえるのではという結論に到達した。

普段からつるんでいた、野球部のキャプテンでもある同じクラスの山田に、

「ごめんやけど、ふりかけ持ってきてくれへん？」

と頼んだ。

事情を何も知らない山田は、突然ふりかけを持ってきてくれという同級生の頼みに多少は戸惑っていたものの、真剣にお願いすると、

「わかった」

と言ってくれた。

その日から僕は晩飯のお米を食べるたびに、まだ見ぬふりかけの味を想像した。早くふりかけご飯を食べたい。ふりかけご飯で行く味の向こう側はどんな味がするのだろうか、期待は膨らむばか

り。

しかし、待てど暮らせど山田はふりかけを持ってこない。

一週間ほど経ったその日、山田は授業中に他の生徒と喋っていた。

僕は、

「こいつ、ふりかけも持ってこんくせに、授業中に先生の話も聞かんと喋りやがって」

と我慢の限界がきて、山田の元へ歩み寄り胸倉を掴んで、授業中とは思えない渾身《こんしん》の叫びを浴びせた。

「はよ、ふりかけ持ってこいや！！！」

山田はキョトンとしていた。普段からチョケていた僕のふりかけを持ってきてくれという願いを、冗談と勘違いしていやがったのだ。

しかし、よく見れば山田だけでなく、先生を含めた教室にいる全員がキョトンとしていた。

次の日、ボケではなかったとわかった山田は、二種類のふりかけを持ってきてくれた。

それと同時に、一年のときのバレンタインデーにクラスの男子全員にチロルチョコとお父さんのエロビデオをセットで配ったことで有名な、男心がわかる上に優しい（?）と評判だった佐久間さんも「そんなにほしいんやったら」と、ふりかけを持ってきてくれた。

それから数日間、兄弟三人はふりかけご飯の「味の向こう側」を満喫した。

二ヶ月に一度の贅沢

ふりかけはもちろん、田村家にはもうひとつご馳走があった。二ヶ月に一度ぐらい、お兄ちゃんが買ってきてくれる卵。この卵は最高に嬉しかった。

卵の凄いところは、いろいろな調理法があるということ。

ひとつの卵で色んな食感を楽しむ方法を編み出し、いつもその調理法で卵をレッツクッキング。

まず、ひとつの卵を割って溶き卵を作る。熱したフライパンに三分の一ほどを流し込み、スクランブルエッグを作る。また三分の一ほどをフライパンに流し込み、小さな卵焼きを作る。そして残った3分の1はご飯に直接掛けて、卵掛けご飯にする。これで田村家の3色卵定食のできあがり。

調味料が何も無かったので、味はあんまり変わらないけど、食感にだいぶ変化が出る。それだけでも、いつもよりは何倍も美味しくご飯を食べることができた。

三分の一の卵ご飯には、先掛けと後掛けとあった。先に掛けた場合は量が少ないため上のほうにしか卵が掛かってないから、先にご飯を攻めて後から白い部分とおかずでいただく。後掛けは先におかずとご飯でいただき、丁度良いぐらいの量になってから溶き卵を掛けて、昔に食べたような濃さの卵掛けご飯をいただく。

このように食べ方を変えることで味のバリエーションはさらに増えた。卵の凄さは計りしれない。

失われた宝島

３００円生活が始まって数ヶ月が経った。

そうやって手を替え、品を替えはしていたが、高校二年生の部活をしている僕の腹は、本当の満腹にはほど遠い状態が続く。

夜、空腹で眠れずに腹を叩いてみたり、減量中のボクサーみたいに枕を腹に当ててがってみたりした。枕を腹に当てがうと本当に少しましな気がしたが、眠りには就けず、結局横になり、くの字形に丸まって両手を腹に当てるのが一番寝やすく、空腹もましだった。

そんな日の翌朝は決まって空腹で、朝の5時や6時に目が覚めてしまう。

学校に行くにはどう考えても早過ぎるが、とりあえず用意をしてコンビニでいつものスナックパンを買って、そのまま何本か食べる。家に帰っても仕方が無いので小銭を探しながら学校に向かう。

高校生になり、より他人の目を意識するようにもなって、公園時代のように自動販売機の下に潜るのが恥ずかしくなった。体も大きくなっており、単純にあの隙間に入るのも難しくなっていた。

それでも勇気を振り絞って、「宝島」や高校生になって広がった移動範囲の中の人通りが少ない場所を狙って可能な限り、潜ってはみたけどほとんど、収穫は無かった。

この頃から自動販売機の精度が上がってお金がこぼれにくくなったのか、不景気で誰もお金を落

とさなくなったのか、お金が落ちていることが極端に減ってきていた。もしかしたら僕以外にも、潜っている奴が何人か居たのかもしれない。

そうこうしているうちに、何の収穫も無いまま学校に着く。

授業が始まるまでかなり時間があるので、とりあえずウォータークーラーの水を飲む。

そして体育館に行き練習をする。適当な時間に練習をやめて、残りのスナックパンに手を付ける。ウォータークーラーの水を飲む。一時間目に遅刻する。

結局、この朝の練習、昼の練習、放課後の練習とフルに動いていた。

こんなに練習しなければ、空腹はもっとましだったと思う。

カロリーを使わないほうがいいのはわかっているがどうしても体を動かして、何か別のことに集中していないと、空腹に耐えきれなかった。

友達には相談できなかった。恥ずかしさが勝った。

カツアゲでもしてやろうと、中学生ぐらいの奴のうしろをつけて歩いたこともあったが、昔、自分がカツアゲされそうになったときのことや、お母さんのことを考えるととても実行に移す気にはなれなかった。

今思えば、工藤さんに相談すれば良かった。しかし、その頃は二年生になり担任も代わっていたので、迷惑は掛けられないとも思っていた。

学校ですれ違う全員に腹が立っていた。生徒はもちろん、先生でも誰かれ構わず憎く見える。休み時間なんかに友達と喋りながらパンやおにぎりを食べてる奴を見掛けると、

「喋るな、もっと真剣に食べ物と向き合え！」

と内心、腹わたが煮えくり返っていた。

24時間腹が減っている状態が続く。何かを食べているとき以外は腹が減っている。

食べ終わった時点で、もの凄い物足りなさを感じて、他に何か食べる方法は無いのかという考えが頭をよぎる。満腹になることは無い。何ヶ月もの間、常に腹の減りを感じて満足することは無い。これは辛い。常にほっしている状態。もし僕が獣なら、かなり荒れていただろう。凶暴で近付けないぐらいに。

このままでは、物を食べている人を見掛けると襲いかねないと、自分自身危険を感じるぐらいに心がやさぐれているのがわかった。

この生活に限界を感じて、バイトを始めることにした。

部活が終わった後に、9時から11時までの2時間だけ回転寿司屋の皿洗いのバイトを始めた。

何よりも助かったのは、賄《まかな》いで売れ残りの寿司を食べさせてもらえたことである。

しかも、前のバイト先と違い家から10分ぐらいの所にあったので、仕事が終わって帰っても12時

までには家に着いたので、遅刻が増えなかった。

店長に、他にも働いてくれる人はいないかと聞かれたので、同じバスケ部のケンジに酒井に亮、ひとつ下の広瀬を紹介してみんなで働いた。

だからバイトに入っていない日でも、バイト先に行くと誰かが働いていたから、まだバイト先の人にそんなに慣れていなくても顔を出すことができて、晩飯にあり付けた。

次の日が休みの日は、バイトが終わって近くの自動販売機の前にたむろして朝まで喋った。他愛もないことばかりで何を喋っていたかなんて覚えていないけど、とても楽しくて良い思い出である。

自動販売機の所に着くと、僕が必ずつり銭口と下を覗く。みんなも次第に真似をするようになり、一番最初に着いた奴が覗くという風習ができた。そうはいっても、みんなにはお小遣いだが、僕には生活費だったので真似をしてほしくなかったが、それをとめる権利は無かった。先に誰かに見つけられたときは、悔しくて悔しくて仕方無かった。それ以来、バイトが終わって誰よりも先に店を出て、自動販売機に行くのが、一日のバイトの最後の作業となった。


バイトを始めて一ヶ月して初めて給料をもらった月から、お兄ちゃんから支給されるお金も３０００円から１０００円に戻った。２０００円にはならなかったけど、バイト代が１、２万円ぐらいは稼げたので生活はいっきに楽になった。

これにより、３００円時代は終焉を迎えた。

終わってみればたったの半年ほどだったが、いつまで続くかわからない不安の中での３００円生活は本当に厳しく、高校の頃を思い出すとこの頃のことを一番最初に思い出す。

たった半年とはいえ、本当に辛かった。この飽食の平成の時代に高校生が、餓死とまではいかないまでも、それを意識するぐらいには腹が減っていたのだから、忘れるはずもない。

だが、なんとか人生二度目の危機を乗り越えることができた。

のせられて生徒会長

バスケ部の顧問の山川先生にも、とてもお世話になった。

試合で交通費が足りないとき、新しくユニフォームを作ったとき、いつも僕のお金の心配をしてくれて貸してくれた。僕がお兄ちゃんからもらったバッシュがボロボロになったとき、当時バッシュがおしゃれ靴として大ブームになり部室の靴がまとめて盗まれたとき、きっと思い出もあったであろう昔使っていたバッシュをくれた山川先生にも、感謝の念が尽きない。

部活を通じて、人間としてもいろんなことを教わった。

山川先生は僕の表情や態度からいろんなことを読み取り、部活が終わった後や昼休みに僕を呼び、いろんな相談に乗ったり話を聞いてくれた。恋の話なんかも聞いてくれた。

僕だけじゃなく、みんなとちゃんと向き合い、誰からも好かれていた。

いつもポロシャツの襟を立てて、さわやかで女子からも人気があって、責任感も強く冗談も通じる素晴らしい教師だった。

その山川先生が責任感が強いあまり、生徒会の顧問とバスケ部の顧問を兼任していた時期があった。そのときの選挙で生徒会長の立候補者がいなくて、先生にやってくれないかと頼まれた。

全校集会で何故かは覚えていないけど、僕が何かを全校生徒を前にして喋ったことがあった。普

通は先生がどんなに注意しても、みんなガヤガヤして話を聞かないものだが、僕が喋ったときはみんなが聞いていてくれたらしく、先生の中でそれが印象に残っていたのだという。そういう力を持った生徒が少ない中でお前の存在感は大したもんだと褒めてくれて、その力を貸してほしいと頼まれた。

僕は本当にバスケ馬鹿で、部活に支障をきたしそうなので断ろうとすると、絶対に部活の迷惑にはならないので、どうしても引き受けてくれと頼まれた。

大好きな先生がそこまで言ってくれたのが嬉しかったことと、お世話になっている先生の役に立てるならと引き受けた。普通、生徒会長というものは学年の中でもある程度賢い人がなるものだというイメージがあったが、ここに吹田高校史上最高にアホの生徒会長が誕生した。

僕が生徒会長を務める中でした業績は、ブルマとダサい芋ジャージだったのを新しく短パンと格好良いジャージに変えたことと、より生徒の意見を聞こうということで意見箱を設置したこと。

普通の意見箱にすれば良かったのだが、何を思ったか『金の斧、銀の斧』の池をイメージして池の形をした「イケてる池ん箱」というものを作成してしまった。これは僕の高校生活史上最高にハズしたもので、仲のいい奴からそうでない奴にまで「あれなんなん?」と言われた。

しかし、一度置いた手前引っ込みも付かず、僕の生徒会長の任期が終わるまで設置し続けた。僕の任期が終わると即行で取り外されたことが如何にハズしていたかを物語った。

高校生活の恥ずかしい思い出のひとつだ。

二泊三日の家出道中

二年生の冬、12月頃。

この頃、お姉ちゃんは僕の親代わりを勤めようと、必死になってくれていた。

僕が友達から何かを借りてくると、すかさず「ちゃんと返せよ」と言ってくる。「わかってるわ」と最初から反抗する。やれ掃除をしろとか、やれ風呂に入れとか、勉強しろとか、友達に迷惑掛けてへんやろうなとか。

僕が物を無くして「どこやったか知らん？」と聞いたら、「ちゃんと保管しとかへんからやろ！」と怒られた。何かあるごとに小言を言ってきて、僕としてはお姉ちゃんの気持ちを理解せず、ただうっとうしいと感じていて、しょっちゅうお姉ちゃんと喧嘩した。

日曜日だったと思う。

僕が昼寝をしていると、その横をお姉ちゃんが通り、僕の足を踏んだ。足を踏まれた痛みで起きた僕は、お姉ちゃんにいつもの逆襲と言わんばかりにキレた。

「どこ見て歩いとんじゃ！　足踏んどるやんけ！」

するとお姉ちゃんは、

「はあ？　足なんか踏んでへんわ！」

とシラをきってきた。

それはさすがに無理があるだろうと、尚更僕はキレた。

「起こされてんねん！　踏まれた痛みで目が覚めてんねん！　踏んでないわけないやろ！　他に誰も通ってないねんから‼」

「お前の勘違いやろ‼　踏んだ感触あったら私も気付くわ‼」

我慢の限界だった僕は怒りのあまり、本気ではないがお姉ちゃんを蹴った。

お姉ちゃんは蹴られたことに逆上し、部屋のありとあらゆる物を僕目掛けて投げ付けてきた。

いつも怒られていたが、ここまで怒ったところを見るのは初めてだった。

ブチ切れたお姉ちゃんを見て、僕は一気に冷静になった。お姉ちゃんがここまで怒るということは、弟とはいえ力ではもう高校生の僕に利があり、どんなにお姉ちゃんと喧嘩になっても女性である以上は暴力を振るってはいけないのだ。

急に申し訳ない気持ちになり、蹴ってしまったことに関しては謝ろうかと思ったが、高校生になり世界の広がりを感じてからというもの、一人で行ける所まで遠くに行ってみたいという衝動があったので、いい機会と思い高校2年生にもなって、

「家出する！　こんな奴と住んでられるか！」

と叫び、服を着込んで鞄に毛布を入れて帽子と手袋を装着し、なけなしのバイト代の８０００円を握り締めて家を飛び出し、自転車にまたがった。

行く当てもなく、ハンドルの向くままに走った。

冬だったので寒かったけど、自転車を漕いでいると次第に体は温まり、そこまで寒さは感じなくなり、どこに行ってもいいという、とてつもない開放感に気分は高揚した。

吹田の隣町の豊中の町をブラブラと徘徊した。

吹田にあるものと何ら変わらない町並みだけど、初めてくる町というだけで全てが目新しく見えて楽しかった。

いろいろ見て回ってる間に、辺りは暗くなってきて寒さも増してきたので、通り掛かったファミレスで一晩過ごすことに決めた。

お姉ちゃんに対しては足を踏まれた怒りがまだ残っていたけど、お兄ちゃんには心配掛けてはいけないと思ったので家に電話して、

「しばらく家出するけど心配せんといて」

と言った。お兄ちゃんは、

「何があってん？　今、どこにおんねん？」

と聞いてくれたけど、

「大丈夫やから」

とだけ言って電話を切った。

朝になり、座って寝たので少し腰は痛かったけど、そんなことはお構い無しにモーニングを頼む。

食後のコーヒーをいただきながら、今日が月曜日であることを思い出す。

日曜日から月曜日になり、本来は学校に行かなくてはいけないが、もちろん家に帰る気なんてさらさらない。

この一人旅が終わるまで何日も学校には行けないので、一応、学校に電話をして担任を呼び出した。

「あっ、先生。ちょっと休学したいんですけど」

「田村か、どーしてん？」

「いや、とりあえず休学したいんです」

「えっ、なんや。何かあったんか？」

「いや、何日になるかわからないんですけど、しばらく学校に行けないんで」

「何があってん？　説明も無しに急に休みたいて。休学したかったら一回学校にきてちゃんと届け出を出さなアカンで」

「そーなんですか、じゃいいです」

電話を切った。

休学はできなかったけど、それでも僕の一人旅に変わりはないと、力強い足取りでお会計を済ませ店を出た。

愛車にまたがり、あてもなく発進する。

なんとなく大通りを走り、道路の標識を見て「兵庫」と書かれたほうを目指して走った。

しばらく走っていると「甲子園」という文字が僕の目に飛び込んできた。よく、高校野球で甲子園とは聞くが実際に行ったことはない。

甲子園のあの外観を生で見たくなり、甲子園を目指してひたすら走った。

道中スーパーに寄っておにぎりを買って、ベンチに座って食べた。

地元のヤンキーが何人か居て怖かったけど、目を合わさないように気を付けおにぎりを食べ終えまた出発する。

お昼を過ぎたぐらいだったか、目的の甲子園に着いた。

初めて生で見る甲子園に感動した。しかも自分の足で、たった一人で自分の意思できた。こんなに遠くに一人できた。

テレビで見る甲子園の前に自分が自転車にまたがって立っていることに、不思議な興奮を覚えた。

しばらく甲子園を眺めていたが、それにも次第に飽き、またあてもなく出発する。

道路の標識を見ると、今度は「須磨海岸」と書いてある。

海に行こうと決めた。一人で海に行ったことはもちろんない。まだ届かぬ潮風に誘われ冬の海を見に行こうと。

僕は黙々と走った。自転車で山を越え、トンネルを抜け、道路に自転車の走る幅は無く、車達に邪魔くさそうに追い越されながら、排気ガスにまみれて走った。

須磨海岸に到着する頃には辺りはすっかり暗くなり、やっと肌で感じた潮風はやたらと冷たくて、初めて見る夜の海はドス黒さばかりが目立ち、なんだか怖かった。

砂浜に下りようなんてことは思いもせず、ただ海岸線を走り過ぎた。

そろそろ寝床を探さなければと走っていると、「西舞子」という所でファミレスを見つけた。

寝床をそこに決めて中に入り、晩ご飯を食べた。

かなりの距離を走り疲れていたので、ご飯を食べ終えるとすぐに眠気に襲われた。眠気に身を任せ、そのまま眠りに就いた。

しばらくすると店員さんに起こされた。

なんで起こすんだと思ったら、その店は24時間営業の店ではなく、深夜2時で閉店だと言われた。

仕方無しに店を出る準備をして会計に行くと、深夜料金なるものが発生し、有り金が底を突いた。

深夜、店から出ると冬の海岸通りは異常に寒くて、明かりも少なく暗くて怖くて、お金も無くな

ったし帰ることに決めた。

あまりに寒かったので毛布を取り出し、羽織りながら自転車にまたがり、きた方向に走りだした。大阪の標識を目印に闇雲に走っていると空が白んできた。はっきり朝になるぐらい明るくなった頃に「十三」という所に着いた。

くるのは初めてだが聞き馴染みのある地名に、だいぶ地元に近付いたなと思って走っていると、安心感からか道に迷った。同じ所をグルグル回っていると、うしろから笛の音が聞こえた。何の音かなと振り返ると、お巡りさんが立っていて、

「そこの毛布の自転車止まりなさい」

と言われた。

誰のことかわからず、前を見ても誰も居ない。よく考えれば、自分の中では当たり前になっていたけど、毛布を羽織っているのは僕だった。

何回もその道を行ったりきたりしていた僕を見ていて、道を教えてくれるのかと思ったら、お巡りさんは急いで駆け寄り、うしろから僕を羽交い絞めにした。

「動くな！　怪しい奴め！」

何が起こったのかわからなかった。世間知らずな僕は、寒いから毛布を羽織る、移動のために自転車に乗るのは当たり前の発想で、そのふたつを同時にしたとき、それを傍から見るとどんな状態

になっているかなんて考えていなかった。

取り押さえられて派出所に連れて行かれ、職務質問をされた。

吹田の高校生がこんな朝早くに、こんな所で何をしているんだとかなり怪しまれ、腕を捲くられて注射痕が無いか確認された。

もちろん、そんなものは無いし、別段悪いことをしてるつもりもない。

もし仮に家出が良くないこととしても、僕は帰っている途中なので、尚更早く解放してほしかった。が、お巡りさんはいろいろな質問を繰り返し、なかなか解放してはくれなかった。

僕が老けていたこともあって高校生ということ自体も信用してくれない。

困り果てた僕は、なんとか信用してもらおうと生徒会長をしていることをアピールしたが、そのアピールは当然のように何の効果も生まなかった。

結局、お巡りさんは解放してくれず、家に電話をされてお兄ちゃんが迎えにくることとなった。

僕の家出は最悪の形で終わりを迎えた。

迎えにきてくれたお兄ちゃんにとりあえず謝ったが、恥ずかしくて情けなかった。

お兄ちゃんは近くの牛丼屋で朝ご飯を食べさせてくれて、

「心配するから、こういうことはもうやめとけ」

と一言、叱ってくれた。

お兄ちゃんと駅で別れ、僕は教えられた道を一人で自転車を漕ぎ、迷惑を掛けてしまったなと反省しながら家に帰った。

家に着くとお姉ちゃんが居て、さすがに自分が足を踏んだことから始まっているし、それなりに責任を感じて謝ってくれるだろうと、こっちこそごめんなと謝る準備をしていたのにもかかわらず、

「何してんねん。補導なんかされんなや、情けない。お兄ちゃんに迷惑掛けんなや！」

と信じられない言葉を吐き捨てた。

この人は凄い人やなとつくづく感心した。

僕の二泊三日の家出旅行はこうして幕を閉じた。

気になる父の行方

毎日、全く遅刻せずとはいかなかったが、部活とバイトの生活にも慣れて、人生初の彼女ができたり、バスケの小さな大会だが学校代表でＭＶＰをもらったり、無事に生徒会長を務め終えたりして、少しずつ大人になりながら三年生に進級していく。

三年生、春。

春休みを利用して、僕は原チャリの免許を取った。

春休みはバイトと部活に明け暮れた。バスケ部のメンバーで行く一泊二日の原チャリ和歌山旅行は金銭的問題で行けず、バスケ部の中での話にも若干ついていけない春休み明けの4月頃、学校帰りに自転車で走っていると、大通り沿いの道で1枚の看板を見つけた。

お葬式の「何々家こちら」と矢印が書かれたやつ。誰でも一度は見たことがあると思うが、それが何気なく視界に入ってきた。

よく見ると、お父さんと漢字一文字違いの同じ名前が書かれてあった。

僕はドキッとして急いで家に帰り、お兄ちゃんとお姉ちゃんにそれを伝えてわめいた。

絶対にお父さんが偽名を使っていて死んでしまったんだと。

二人は冷静で、そんなわけないと軽くあしらわれた。

確かに今考えればそんなわけはないのだが、アホな僕は当時真剣にお父さんだと思い込み、一人でその葬式に行くと言って聞かなかった。

二人が止めてくれなかったらきっと本当に行ってしまい、知らない人だらけの全く関係の無いお葬式でお焼香をあげて、故人とどんな関係だったかと親族に聞かれて困り果てていたことだと思う。

持つべきものは家族である。

10キロ女の正体

三年生の5月頃。

僕の家の前は結構な下り坂で、その先がT字路になっていて左右に分かれている。

右に行くと万博のほうに出て、左に行くと町のほうに出る。

この下り坂の先はガードレールがあり、ガードレールの向こうは段になっていて、下に田んぼが広がっている。

ある日、お姉ちゃんが「原チャリ使っていいから、チャリンコ貸して」と言ってきた。

「いいよ」と鍵を渡すとお姉ちゃんは、「いってきます」と勢いよく家を出て行った。

家の前の坂をブレーキを掛けながら下る音が聞こえたかと思うと、突然ブレーキの音が消えた。

大体、感覚でどれぐらいブレーキの音が続けば坂を下りきったかわかるのだが、いつもの下り切る時間より明らかに早く音が消えたのでおかしいなと思ったら、ギャーという叫び声と共にドーンという大きな衝突音が響いた。

これは何事かと思い、急いで家を出ると、お姉ちゃんがガードレールの向こうに落ちて僕の自転車共々、頭から田んぼに刺さっていた。

どうやら坂の途中でブレーキを強く握り過ぎてブレーキのコードが切れてしまい、スピードを調

整できずにガードレールにぶつかり、そのまま田んぼに落ちたようだった。

急いで田んぼに飛び下りて、お姉ちゃんを救出した。

お姉ちゃんは全身泥だらけになりながら、ブレーキの弱さを僕にキレた。

凄い剣幕で怒鳴られたけど、僕はお姉ちゃんのその姿に、笑いを堪え切れずに吹き出した。

お姉ちゃんは家に戻ると友達に電話で遅れることを伝え、お風呂で体を洗い着替えて出掛けた。

その後も僕は田んぼに刺さっているお姉ちゃんを思い出し、何回も笑った。

夜になり、お兄ちゃんもお姉ちゃんも帰ってくると、その話をしてまた笑った。お兄ちゃんは笑い、お姉ちゃんは怒り、大変だったけど、その光景は何度思い出しても、笑いが込み上げてくる素敵なシーンだった。正直お姉ちゃんには悪いけど、今思い出しても笑いが込み上げる。


その頃、僕は原チャリを買うお金は無かったので、友達に借りたり、お姉ちゃんに借りたりして乗っていた。

7月の中頃だったと思う。

そのときもお姉ちゃんの原チャリを借りて走っていたら、僕の前にタクシーが走っていた。邪魔だなと思いながら煽《あお》り気味に車間距離を空けずに走っていたら、タクシーが急に方向指示器を出し、その瞬間右に曲がった。

僕はタクシーにぶつかりそうになり、咄嗟《とっさ》にハンドルを切ってなんとか衝突はかわしたが、バランスを保てずに一人で転倒してしまった。

タクシーは気付いてか気付かずか、そのまま走り去って行った。

スピードはそんなに出していなかったので、肘を擦り剥いたぐらいで大した怪我も無かったから、タクシーを追いかけて文句を言ってやろうと原チャリに飛び乗り、急いでアクセルをふかした。

しかし、原チャリは転んだ拍子にどこか壊れたらしく、アクセルをフルスロットルで回しても10キロぐらいしか出ず、追い付くどころではなかった。

お姉ちゃんの原チャリは、お姉ちゃん自身も買うお金が無く、知り合いから譲ってもらったもので、お姉ちゃんはかなり重宝していたので、これはめちゃくちゃ怒られるだろうと腹を括って家に帰った。

家に帰ると、お姉ちゃんはまだ帰っておらず、なんて言おうかドキドキしながら待っていた。

しばらくしてお姉ちゃんが帰ってきたので、僕は正直に、

「コケて壊して、10キロぐらいしかスピードが出なくなった、ごめん」

と謝った。

さあ、お姉ちゃんの怒声が響くぞと思いきや意外にも、

「そーなん。怪我は無かったん?」

と軽く聞いてきた。

「肘《ひじ》、擦り剥いたぐらい」

と言ったら、

「大した怪我やなくて良かった」

と全く怒らなかった。

なんて器が大きいんだと感動した。今までのお姉ちゃんなら、完全にブチキレたのに。もしかしたら知り合いにバイク屋がいて、タダで直してもらえるのか、それとも今月給料が多くて多少修理費が掛かっても平気なのか、何にせよ怒らなかった。

どうするのかなと思ってしばらくお姉ちゃんを観察したが、直しに行く気配はなく、お姉ちゃんは壊れたままのバイクに、どでかいフルフェイスをかぶって乗り続けた。

それは一番最悪の結果だった。怒られたほうがましだった。


一ヶ月も経たないうちに、町で時速10キロのバイクの女が走っているという噂が出た。

僕はその噂を友達から聞いて、すぐにお姉ちゃんだとわかったが、恥ずかしいので知らないふりをした。

フルフェイスだったので、僕のお姉ちゃんの顔を知っている友人にもばれずにいたし、もともと

は僕の責任なので何も言えなかった。もちろん直すお金も僕には無かった。

噂はドンドン広まり、家の近くのコンビニに居たりすると、中学生ぐらいの奴が友達と喋っていて、

「お前、見た？　10キロの女」

「見た見た、ホンマに10キロぐらいやな」

「めっちゃ、遅いやろ。チャリンコに普通に抜かれてるからな」

「こないだなんか上り坂でさらに遅なって、歩いてる子供とずっと並んで走ってたで！　最初見たとき、わざとかなと思ったけど、よく見たら子供と喋ってる様子も無いし、坂上り切って下りに入ったら、ちょっとスピード上がって子供と離れて行ったからな」

「嘘やん、めっちゃおもろいやん、見たかったわ、それ」

なんて会話が耳に入ってきたりする始末だった。

これはばれたら最悪やなと思っていたが、フルフェイスのお陰でその心配は無いと慢心していた。

最悪の事態が起こったのは、8月に入って暑さも本格的になってきたその頃だった。

こともあろうか、お姉ちゃんが暑さに負けて、ヘルメットだけを買い換えた。

フルフェイスから普通の半ヘルに。バイクを直す気配は一向に見せずに……。

ヘルメットを買い換えて2、3日が経ったときに、その噂を教えてくれた友達から電話が掛かってきた。

その友達は電話に出たのが僕だと声で気付くと、もしもしも言わずに笑いを押し殺した声で、

「10キロの女、たむちんのお姉ちゃんやんけ！」

と言ってきた。

さすがにシラをきることもできず、

「らしいな、俺も最近知ってん」

などとよくわからない返事をした。

あのときの恥ずかしさは半端じゃなかった。しばらくは友達に会うたびに言われた。

また、違う友達とコンビニの裏で喋っていて、そのことを言われている横をお姉ちゃんが10キロで通り過ぎたときは、その友達は2時間ぐらい笑いっ放しだった。

あのときのなかなか消えないお姉ちゃんのうしろ姿が、今も目に焼き付いている。本当になかなか消えなかった。

もとはといえば、僕が壊したからそんなことになった。

身から出た錆とはいえ、あれは思春期にはきつい出来事だった。

タクシーのうしろを走っていたとき、車間距離を空けていれば良かったと心底後悔した。

NSCに入学

そんなお姉ちゃんのバイクのスピードとは裏腹に、時間はドンドンと過ぎていく。

夏休みになり部活の引退試合も終わり、同級生達はみんな進路も決めて、進学する奴は高校最後の夏休みを勉強に費やし、就職する奴らは最後の夏休みを満喫する中で、僕はまだ進路を決められずにいた。

普通ならばもちろん就職して家計を助けなければいけないのだが、その頃の僕にはどうしても叶えたい夢ができていた。

生きる目標を工藤さんに見つけさせてもらってからの僕は、お母さんが褒められるような息子に、人間になりたいと考えていた。

僕を生んで育ててくれた田村京子という女性は偉大だった、と言われるような立派な人間になりたい。お母さんの存在を確実なものにするため、みんなの記憶に残ることをしたい。できれば歴史に名前を残したい。

教科書に載るような発見や発明をすれば、歴史に名前を残せるんじゃないかと考えたが、僕の学力や頭脳ではきっとそれは叶わない。

でも、何とか名前を、生きていた記録を残す方法を考え抜いた結果、辿り着いた答えが〝お笑い〟

だった。

お姉ちゃんの影響と大阪という風土からずっとお笑いが好きで、部活から帰ってはお姉ちゃんが録りだめたお笑い番組のビデオを観ていた時期もあった。

学校や友達からもひょうきんで通っている。

これならば何とかなるのではないかと思い出してから、ドンドンお笑いの世界への思いが強くなっていった。

しかも、同じようなことを考えていたのか、ただお笑いが好きだったのかは知らないけど、この二年ぐらい前にお兄ちゃんが吉本興業のお笑いタレントの養成所ＮＳＣ（吉本総合芸能学院）に入校しており、入り方もわかっていた。

お兄ちゃんとお姉ちゃんには悪いけれど、お笑いの世界に入ろうと決めた。

調べてみるとその頃は春と秋の年二回入学の機会があり、次の春から学費が上がるという話だった。

お金は全く無かったけど、どうせ入るなら春も秋も一緒だろうと、それならばお金の安い秋に入ってしまいたかった。

お姉ちゃんに頼み、どうせ無理やからやめときと反対されながらもなんとか入学金を、お兄ちゃんには授業料を借りて、すぐさま行動して面接に行き無事に合格して、夏休み空けの９月からＮＳ

Cに通うこととなった。

こうして残りの高校生活と並行して、NSCに通うことになった。

ひとつ最悪だったのは、僕と入れ替わりでお兄ちゃんがこの世界をやめたこと。

そのときは単にお兄ちゃん自身が自分の力に限界を感じてやめたのだと思っていたのだが、後で聞くと、誰かがお金を確実に稼いでお世話になった人達に返していかなければ筋を通すことができないと考えたようで、お兄ちゃんが犠牲になってくれていた。

そのときの僕は、この世界に入りさえすれば、すぐに注目されて仕事が入ってきてお金も返せるのではという浅はかな妄想を抱いていたので、すでにこの世界に入って現実を見ているお兄ちゃんが身を引いてくれたなんて思いもしなかった。

そんなわけで、知らない間に兄の犠牲の下、僕の芸人人生は始まっていく。

相方・川島との出会い

夏休みが終わり、僕の進路は決まったが、先生には恥ずかしくて言えなかった。さすがにいまだ決まってないとも言えず、とりあえずスポーツのインストラクターか栄養士になると言って、その場を取り繕っていた。

9月に入ってすぐＮＳＣの入学式があり、たまたま高校のひとつ上の野球部の先輩の原さんが同期で入っていたので、入学式などに一緒に行った。

一応、僕はツッコミがしたいと思っていて原さんはボケをしたいと言っていたので、お互い相方が見つかるまで時間がもったいないので、とりあえずコンビを組むことになった。

面接のときにいた奴に積極的に話し掛けて少しでも緊張をほぐし、入学式に臨んだ。何てことはないのだけど、やたらと緊張したし、芸人というものに近付いた気がしてドキドキした。

わざわざ金のジャケットに金の蝶ネクタイを着込んできてる奴が居たりして、凄い奴が居るもんだなと驚いた。

ＮＳＣの授業は午後からがほとんどだったので、午前中は高校に行き、途中で早退してＮＳＣに行くという日々を過ごす。もともとそんなにちゃんと学校に行ってない上にＮＳＣに通いだし、ますます欠課時数が増えていった。

先生に今までにこんなに休んで卒業した生徒は一人も居ないと言われ、高校を卒業できない危険性が出てきた。

別に卒業できなくてもいいかなと軽く考えていたけど、それをお兄ちゃんに伝えると、これまた怒られて、「卒業できなかったらNSCはやめさすからな」と釘を刺された。

担任の杉田先生にNSCに通っていることを明かすと、とても喜んでくれて「自分の教え子から芸能人が出たら凄いな」と、僕の可能性を信じてくれた。

卒業のことを相談すると、欠課時数は多くてもある程度の単位は取れていたらしく、卒業テストで単位を落とさなければ卒業できると教えてもらった。三教科までなら落としても、追試で合格すれば大丈夫だと。それを聞いて安心した僕は、落とすであろう教科を三つに絞り、それ以外はちゃんと合格できるように勉強していくことにした。

そのままNSCは休まずに、学校を早退して通い続けた。


二回目の漫才の授業で原さんとネタを披露した。その授業終わりに次の授業に向けてネタ合わせをしようと思ったら、原さんがネタを書くしんどさからか、ツッコミがやりたいと言いだした。僕は自分はツッコミだと決めていたので、それじゃお互い別の相方を見つけましょうということになった。そして、今まではライバルを観察する目線だったけど、三回目の授業からは相方を探す目線

で授業に出た。

するとその日、それまでは教室の端っこに一人で座り、ネタをすることのなかった川島が初めて一人でネタを披露していた。

明らかに緊張し過ぎていて、顔が完全に硬直していたが、今までに見た他の同期のネタより面白くて、僕は一人緊張感無く大笑いし、声を掛けてみようと思った。

当時の川島は、今のように吉本の男前ランキングで上位に入るような雰囲気は無く、髪の毛は枝毛が枝毛を生んで遠くから見ても枝毛が確認できるほどボサボサのパサパサだった。服も軍服みたいなダサいジャケットを着ていて、何年日光に当たってないんだというぐらい病的に肌は白く、同じ学校だったらまず友達になってないタイプだった。その見た目の気持ち悪さから声を掛けようかためらったが、せっかくNSCに入学して無駄な時間を過ごすのも嫌だったので、本当にとりあえずという軽い気持ちで、「自分、コンビ組む気あるん？　あるんやったらコンビ組んだってもええで」と、舐められたくないという転校生のような気持ちで上から声を掛けた。

これが僕と川島の出会いだった。

NSCの授業料が上がる前に無理を押して入ったこと、原さんが二回でツッコミがやりたいと言いだしたこと、高校のときに引きこもっていた川島が勇気を振り絞って顔面を硬直させながらも、この日に初めてネタを下ろしてくれたこと、そんな川島に躊躇《ちゅうちょ》せずに話し掛ける勇気が僕にあっ

たこと、身の程知らずに上から話し掛けた僕を受け入れてくれる優しさが川島にあったこと、きっとお母さんの加護《かご》の下で全てがいい方向に転がっていったのだと思う。

そして新しい相方ができた僕とは裏腹に、原さんは新しい相方が見つからずにそのままNSCをやめていった。原さんは人柄が顔ににじみ出ているとてもいい人で、今も劇団で役者をしていると聞いたので、いつか一緒に仕事ができたらいいなと思う。


NSCでは先生には全く評価されずに、ずっと一番実力のない最低ランクのクラスに位置付けされながらも、同期のみんなからは面白いと言ってもらったりして、順調では無いけれど芸人人生を歩んでいく。

年が明けて、卒業に向け勉強も頑張っていた。

最後の卒業を懸けた実力テストで、何とか狙い通りの三教科以外は合格点を取り、後はその三教科の追試に全力投球するのみとなった。

僕はNSCをやめたくない一心で必死で勉強したが、杉田先生の担当である英語だけは全く勝算が無かった。正直、三教科共一から勉強するレベルだったので、英語以外の二教科で手いっぱいで時間が全く足りず、そのまま追試に突入した。

後の二教科は勉強の甲斐があって、ほとんどの問題が解けた。しかし、英語のテストだけほとん

どわからず適当に書いた。

絶望的だった。

これでは卒業できずにNSCをやめなければならないかと腹をくくったが、結果は三教科共、奇跡的に80点ぐらいあり、何とかクリアした。英語は本当に手を付けられなかったので、結果を見てびっくりしたが、それも普段の教え方がうまい杉田マジックだと解釈した。

こうして無事に卒業を形にして、NSCをやめずに済んだ。杉田先生ありがとう。


高校の卒業式は本当に感動した。

みんなとの別れが辛いとかいう単純な理由からだけではなかった。高校に入ったときはモチベーションが無くあんな状態だったのに、周りの人達に支えられてではあるが、いろんなことを乗り越えて、部活も最後まで意欲的に続けることができたからだ。一人前に人生の目標まで見つけ、それに向かって進みだし、今、同級生と同じように卒業の場に並んでいる。とても感慨深いものがあった。

僕の周りに居てくれた大人達も友達も誰一人欠けては、こうしてここまでこられなかったと思う。感謝の念が尽きることはない。

こうして僕は、残りの半年間のNSCも無事に出席し続け卒業した。

つまり、高校の卒業式からたったの半年後にもう一度卒業式を迎えたのだ。

ＮＳＣの卒業式とは「卒業公演」といい、舞台で行われ、客を入れて、ネタなどを披露する。卒業する生徒にとっては、授業以外に初めて人前でネタを発表する場であり、芸人としてのスタートの場でもある。

その卒業公演を兄姉が観にきてくれた。

二人とも「やりたいことをやったらいい」というスタンスではあったが、決して芸人になることに賛成はしていなかったと思う。その二人が観にきてくれて、初めて僕達のネタを観てくれた。

二人が自分の青春を半分捨てて、僕の面倒を見てくれたお陰で僕はそこに立つことができた。僕は恥ずかしくて感謝の気持ちを言葉にはできなかったけど、その想いを込めて、一生懸命にネタをした。

その想いが伝わっていたかはわからないけど、ネタを見た二人は「これから頑張れよ」と優しく言ってくれた。

僕は、兄姉の弟であり、息子でもあった。僕を育ててくれた二人に報いるためにも、僕は早く一人前の芸人になるんだと心に誓った。

そして、家族以外にも、この業界で出会った多くの方々、そして相方に助けてもらって、少しずつではあるが目標にむかって人生を歩んでいく。

母に今伝えたいこと

お母さん、お元気でしょうか。

お母さんはきっと、今もどこかで僕のことを見てくれていると思います。

僕はお母さんの望むような孝行息子に近付けているでしょうか。

お母さんが生きていたら、人に自慢できるような息子になれているでしょうか。

自分では何もできなかった僕が、何でもお母さんに甘えて、何でもしてもらっていた僕が、少しは大人になれたでしょうか。

僕はやっぱり誰よりもお母さんが好きでした。

いまだに一番お母さんのことが大好きです。いつも会いたいと思ってしまいます。

辛いことがあったときは相談して甘えたいし、嬉しいことがあったときは報告して一緒に喜んでほしいです。

僕は今年で28歳になります。

もう、お母さんといた時間よりも、別れてからの時間のほうが長くなってしまいました。

決して多くはないお母さんとの温かい思い出が、僕の頭を何度も巡ります。

一緒に手を繋いでスーパーから帰ったこと。

いつも一緒に寝ていたあの部屋。

お風呂で休むことなく、肩からお湯を掛けてくれた温もり。

僕が母の日というものを初めて知った5歳ぐらいのときに、「母の日のプレゼント買うからお金ちょうだい」と野暮なことをお母さんに言ってしまい、お母さんからもらった500円玉を握り締めてお姉ちゃんとスーパーまでエプロンを買いに行って渡したら、嬉しそうにいつまでもそのエプロンを使ってくれたこと。

お母さんと一緒に買い物に行き、僕がウルトラマンの人形で遊んでいるうちにお母さんとはぐれて迷子になってしまい、不安でずっと一人で泣いていて、泣きながらも僅かな記憶を頼りになんとか一人で家に帰ったら、警察を呼ぶほどの大きな騒ぎになっていて、帰ってきた僕を見つけたお母さんが誰よりも早く僕に駆け寄り、泣きながら痛いほど強く抱き締めてくれたこと。

お父さんと喧嘩して、泣いていたお母さん。

4歳ぐらいのときに僕が友達と万引きをしてしまい、初めて叩かれて怒られたこと。

みんなで外食に行っても自分の食べたいものは注文せずに、僕達の残りを食べてくれていたこと。

お母さんの作る料理。

大好きなカレーと、少し苦手だった湯豆腐。

いつも買い忘れなかった牛乳。

お母さんと手を繋いで走った市民体育祭。

不安でいっぱいだった僕から、片時も離れずに横に居てくれた幼稚園の入園式。

お母さんが見ているからと異常に張りきった幼稚園の運動会。

砂糖パンが大好きな僕が、自分で作ろうとして焼いたパンに砂糖と間違えて塩を掛けてしまい、そんなことに気付かずにかぶりついたら、想像と違う味にびっくりして泣いてしまったときに、優しく頭をなでてくれたこと。

お母さんと一緒に行った小学校の入学式。

お母さんが体操服にゼッケンを縫い付けてくれている横を、いつまでも離れずに居たこと。

お母さんがきてくれた授業参観。

せっかくのパートの休みの日に、僕のワガママで連れて行ってくれた市民プール。

こたつで寝たら、必ず風邪ひくからと僕を布団まで抱っこしてくれたこと。気付いていたんだろうけど、抱っこしてほしいから何度もこたつで寝たふりをしてました。

僕のほしがっていたプラモデル屋のＴＡＭＩＹＡのトレーナーの懸賞を僕の知らない間に応募してくれて、当選してトレーナーが送られてきたときに僕よりも喜んでいたこと。

僕の書いた習字を見て、「ひろ君の字は味があっていいなぁ」と褒めてくれたこと。

初めてたて笛を学校で習って、できもしないくせに何回もお母さんの前で披露しても、怒らずに

ずっと聞いてくれたこと。

お母さんと一緒に行った農協。

重たい米を持てもしないのに持つと言って聞かず、お母さんを困らせたこと。

病院のベッドの上のお母さん。

どんどんやつれていったお母さん。

かっぱ巻きを食べたいと言っていたお母さん。

自分で立つことができなくなっても、か細い声でずっと僕達に謝っていたお母さん。

最期に笑っていたお母さん。

いつも自分は二の次と遠慮して、真ん中でちゃんと写っている写真が無くて選ぶのに苦労した、遺影の中のお母さん。

お母さんの温もり。

何よりも大きかったお母さんの愛情。

思い出すことしかできないお母さんの記憶。

お母さんと過ごした十一年間の記憶はいつまでも消えることなく、思い出すたび色濃くなっていきます。

僕があんなにたくさん甘えなければ、もしかしたらもっとお母さんと一緒の時間を過ごすことが

できたのかもと考えてしまいます。

甘えるばかりで、お母さんの負担を増やすばかりで……。

どうして、僕が負担を減らしてあげることができなかったのかと自責の念にかられます。

情けないことに、今でも僕はお母さんに会いたくて仕方がありません。死にたいということではないけれど、お母さんに直接に会っていっぱい喋りたいです。

もしお母さんに会えたときに喋ることがいっぱいあるように、僕はいろんなことをたくさん経験しておきます。いつまでも話が尽きないように。

だからそのときは昔のように優しく聞いてください。

きっとそれが最後のワガママです。

そしてそのときまでは今まで同様、僕を見守っていてください。

選択を間違えてしまうことはあるかもしれないけれど、僕なりにいつまでもまっすぐ、お母さんのように生きていきたいと思います。

いつか、僕を見て周りの人が、僕ではなく、お母さんのことを褒めてくれるような立派な人間を目指して。


〈完〉

おわりに

この本のお話を最初にもらったとき、どうしようかかなり迷いました。僕一人の話ではないので、誰かに迷惑が掛かるかも知れないとも思ったし、芸人として如何なものかとも思いました。

しかし、家族はもちろん、いろんな人の協力と理解を得て、芸人本ブームにも乗っかって書くことに決めました。

学が無いので、もちろん文章力も無く、間違った表現や言葉もあると思います。読みにくいかもしれませんが、たくさんの人に読んでいただき、何か感じるものがあればいいなと思います。

僕は、お湯に感動できる幸せのハードルの低い人生を愛しています。


最後にお父さん、お兄ちゃん、お姉ちゃん、親戚のみんな、よしやと川井さん一家、テッ坊と美並さん一家、清のお父さんの蔵咲さん一家、西村さん、田原さん、団地のときに隣だった名取さん、団地のときに下に住んでいていろいろ世話をしてくれた河内さん、高1の担任の工藤さん、高2の担任の前田先生、高3の担任の杉田先生、バスケ部の山川先生、星ドン、バレー部の大東先生、英語のボブ、生物の角煮先生、僕が授業中に椅子を並べて寝ても怒らなかった社会のヒゲ先生、生徒会の顧問だった河崎先生、いろいろ相談に乗ってくれた金先生、他の先生方、中学の谷下先生、け

んちゃく先生、真曽木先生、バスケ部のチャイバ先生、他の先生方、小学校の積先生、白山先生、バスケ部の谷野先生、他の先生方、団地のみんな、同級生のみんな、バスケ部のみんな、南野軍団のみんな、初めて付き合ってくれたやっちゃん、友達、地元の先輩、地元の後輩、片山さん、仲さん、加地さん、稲垣を始めとした吉本興業の皆様、芸人の先輩方、後輩、同期の仲間、この世界に入ってから知り合って一緒に楽しいときを過ごしてくれた男友達、女友達、仕事場でお世話になっている方々、応援してくれてたくさんの力を与えてくれるファンの皆様、また、この本の制作を手伝ってくれた鷲頭姉妹、ワニブックスの吉本さん、そして、川島の親族の皆様、いつも横で支えてくれる川島。

それから、僕の文章を最後まで読んでくださった皆様に、本当に心より感謝を申し上げます。

これからもこの馬鹿とお付き合いくださいい。

2007年 8月吉日 田村裕

アートディレクション・デザイン　lil.inc
カメラマン　奥本昭久
構成　鷲頭文子　鷲頭紀子
イラスト　田村 裕
マネージャー　稲垣智彦（吉本興業）
編集　吉本光里　村上峻亮（ワニブックス）

スペシャルサンクス　田村研一

DTP　株式会社三協美術
印刷所　凸版印刷株式会社
製本所　ナショナル製本

ホームレス中学生
著者　田村 裕

2007年9月20日　初版発行
2008年1月20日　16版発行

発行者　横内正昭
発行所　株式会社ワニブックス
〒150-8482
東京都渋谷区恵比寿4-4-9
えびす大黒ビル
電話　03-5449-2711（代表）
振替　00160-1-157086
ワニブックスHP　http://www.wani.co.jp

定価はカバーに表示してあります。
落丁・乱丁の場合は小社営業部宛にお送りください。
送料は小社負担でお取り替え致します。

ISBN　978-4-8470-1737-7